dtv

D0110539

Georg hat seinen Vater kaum gekannt. Der starb, als sein Sohn vier war. Elf Jahre später findet Georg zufällig einen Brief, geschrieben an den »großen« Sohn. Es ist ein Abschiedsbrief, natürlich, aber vor allem erzählt er die Geschichte einer großen Liebe: der Suche des Vaters nach einem geheimnisvollen Orangenmädchen. Der Brief wird für Georg zu einer Reise in die Vergangenheit. Doch bald begreift er, dass es darin auch um seine Zukunft geht, zum Beispiel um die Frage, wie er es mit der Liebe hält ... Sein Vater konnte ihm keine Antworten mehr geben. Aber er konnte seinem Sohn die richtigen Fragen stellen.

Jostein Gaarder, geboren 1952, studierte Philosophie, Theologie und Literaturwissenschaft in Oslo und lehrte Philosophie an Schulen und in der Erwachsenenbildung. Daneben schrieb er Romane und Erzählungen für Kinder und Erwachsene. Heute lebt er als freier Schriftsteller in Oslo. Mit ›Sofies Welt‹ (1993 erschienen und inzwischen in über 40 Sprachen übersetzt) wurde Gaarder international bekannt.

Jostein Gaarder
Das Orangenmädchen

Aus dem Norwegischen von
Gabriele Haefs

Deutscher Taschenbuch Verlag

Ungekürzte Ausgabe
November 2005
Deutscher Taschenbuch Verlag GmbH & Co. KG,
München
www.dtv.de
Lizenzausgabe mit Genehmigung des Carl Hanser Verlags
© 2003 Jostein Gaarder und
H. Aschehoug & Co. (W. Nygaard), Oslo
Titel der norwegischen Originalausgabe:
›Appelsinpiken‹
© 2005 der deutschsprachigen Ausgabe:
Carl Hanser Verlag, München · Wien
Umschlagkonzept: Balk & Brumshagen
Umschlagbild: © picture press / Tomek Olbinski
Satz: Fotosatz Amann, Aichstetten
Druck und Bindung: Druckerei C. H. Beck, Nördlingen
Gedruckt auf säurefreiem, chlorfrei gebleichtem Papier
Printed in Germany · ISBN 3-423-13396-1

Das Orangenmädchen

Mein Vater ist vor elf Jahren gestorben. Damals war ich erst vier. Ich hatte nie damit gerechnet, je wieder von ihm zu hören, aber jetzt schreiben wir zusammen ein Buch.

Das hier sind die allerersten Zeilen in diesem Buch, und die schreibe ich, aber mein Vater wird auch noch zum Zug kommen. Er hat schließlich das meiste zu erzählen.

Ich weiß nicht, wie gut ich mich wirklich an meinen Vater erinnern kann. Vermutlich glaube ich nur, dass ich mich an ihn erinnere, weil ich mir alle Fotos von ihm so oft angesehen habe.

Nur bei einer Erinnerung bin ich mir ganz sicher; dass sie echt ist, meine ich. Es geht um etwas, das passiert ist, als wir einmal draußen auf der Terrasse saßen und uns die Sterne anschauten.

Auf einem Foto sitzen mein Vater und ich auf dem alten Ledersofa im Wohnzimmer. Er scheint etwas Lustiges zu erzählen. Das Sofa haben wir noch immer, aber mein Vater sitzt nicht mehr dort.

Auf einem anderen Bild haben wir's uns in dem grünen Schaukelstuhl auf der Glasveranda gemütlich gemacht. Das Bild hängt seit dem Tod meines Vaters hier. Ich sitze jetzt in dem grünen Schaukelstuhl. Ich versuche, nicht zu schaukeln,

7

weil ich meine Gedanken in ein dickes Schreibheft schreiben will. Und später werde ich alles in den alten Computer meines Vaters eingeben.

Auch über diesen Computer gibt es etwas zu erzählen, darauf komme ich noch zurück.

Es war immer schon seltsam, diese vielen alten Bilder zu haben. Sie gehören in eine andere Zeit.

In meinem Zimmer liegt ein ganzes Album mit Bildern meines Vaters. Es kommt mir ein bisschen unheimlich vor, so viele Fotos von einem Menschen zu besitzen, der nicht mehr lebt. Wir haben meinen Vater auch auf Video. Ich bekomme fast schon eine Gänsehaut, wenn ich ihn sprechen höre. Mein Vater hatte so eine richtig laute Dröhnstimme.

Vielleicht sollten Videos von Menschen, die es nicht mehr gibt, oder die nicht mehr unter uns weilen, wie meine Großmutter das ausdrückt, verboten werden. Es kommt mir nicht richtig vor, den Toten hinterherzuspionieren.

Auf einigen Videos kann ich auch meine eigene Stimme hören. Sie klingt dünn und hoch. Und erinnert mich an ein Vogeljunges.

So war es damals: mein Vater war der Bass, ich lieferte den Diskant.

Auf einem Video sitze ich auf den Schultern meines Vaters und versuche, den Stern von der Weihnachtsbaumspitze zu zupfen. Ich bin zwar erst ein Jahr alt, aber fast hätte ich es trotzdem geschafft.

Wenn Mama sich Videos von meinem Vater und mir anschaut, kommt es vor, dass sie sich im Sessel zurücksinken lässt und schallend lacht, obwohl sie doch damals hinter der Videokamera gestanden und gefilmt hat. Ich finde es nicht richtig, dass sie über Videos mit meinem Vater lacht. Ich glaube nicht, dass ihm diese Vorstellung gefallen hätte. Er hätte vielleicht gesagt, das sei gegen die Regeln.

Auf einem anderen Video sitzen mein Vater und ich vor unserem Ferienhaus auf Fjellstølen in der Ostersonne und jeder hat eine halbe Orange in der Hand. Ich versuche, aus meiner den Saft herauszusaugen, ohne sie zu schälen. Mein Vater denkt wohl an ganz andere Orangen, da bin ich mir ziemlich sicher.

Gleich nach diesen Osterferien merkte mein Vater, dass mit ihm etwas nicht stimmte. Er war über ein halbes Jahr lang krank und hatte Angst, dass er bald sterben müsste. Ich glaube, er wusste, dass das passieren würde.

Mama hat mir oft erzählt, dass mein Vater besonders traurig war, weil er sterben musste, ehe er mich wirklich kennen gelernt hatte. Meine Oma sagt das auch, nur auf eine irgendwie mystische Weise.

Oma hatte immer schon eine komische Stimme, wenn sie mit mir über meinen Vater sprach. Das ist vielleicht kein Wunder. Meine Großeltern haben einen erwachsenen Sohn verloren. Was das für ein Gefühl ist, weiß ich nicht. Zum Glück haben sie auch noch einen Sohn, der lebt. Aber Oma lacht nie, wenn sie die alten Bilder meines Vaters ansieht. Sie sitzt ganz andächtig davor. Das sagt sie übrigens selber so.

Mein Vater hatte damals entschieden, dass man mit einem Jungen von dreieinhalb Jahren nicht wirklich sprechen könne.

Heute begreife ich das, und wenn du dieses Buch liest, wirst du es auch bald verstehen.

Ich habe ein Bild meines Vaters, auf dem er in einem Krankenhausbett liegt. Sein Gesicht ist sehr mager geworden. Ich sitze auf seinen Knien, und er hält meine Hände fest, damit ich nicht auf ihn falle. Er versucht mich anzulächeln. Das Bild ist nur wenige Wochen vor seinem Tod aufgenommen worden. Ich wünschte, ich hätte es nicht, aber wo ich es schon habe, kann ich es auch nicht wegwerfen. Ich kann nicht mal was dagegen machen, dass ich es immer wieder anschauen muss.

Heute bin ich fünfzehn, oder fünfzehn Jahre und drei Wochen, um ganz genau zu sein. Ich heiße Georg Røed und wohne im Humlevei in Oslo, zusammen mit meiner Mutter, mit Jørgen und mit Miriam. Jørgen ist mein neuer Vater, aber ich nenne ihn nur Jørgen. Miriam ist meine kleine Schwester. Sie ist erst anderthalb Jahre alt und damit wirklich zu klein, als dass man richtig mit ihr reden könnte.

Natürlich gibt es keine alten Bilder oder Videos, die Miriam mit meinem Vater zeigen. Miriams Vater ist Jørgen. Ich war das einzige Kind meines Vaters.

Ganz am Ende dieses Buches werde ich ein paar echt interessante Sachen über Jørgen erzählen. Ich kann jetzt noch nichts darüber verraten, aber wer liest, wird sehen.

Nach dem Tod meines Vaters kamen meine Großeltern zu uns und halfen Mama dabei, in seinen Sachen Ordnung zu schaffen. Aber etwas Wichtiges haben sie dabei nicht gefunden:

etwas, das mein Vater geschrieben hatte, bevor sie ihn ins Krankenhaus brachten.

Damals wusste niemand davon. Die Geschichte des »Orangenmädchens« ist erst am Montag dieser Woche aufgetaucht. Oma wollte etwas aus dem Geräteschuppen holen und fand sie im Polster der roten Kinderkarre, in der ich als kleiner Junge gesessen hatte.

Wie sie dort hingekommen ist, ist ein kleines Mysterium. Der reine Zufall kann es nicht gewesen sein, denn die Geschichte, die mein Vater schrieb, als ich dreieinhalb Jahre alt war, hat etwas mit der Karre zu tun. Das soll nicht heißen, dass es sich um eine typische Kinderkarrengeschichte handelt, so ist das wirklich nicht, aber mein Vater hat sie für mich geschrieben. Er schrieb die Geschichte des »Orangenmädchens«, damit ich sie lesen könnte, wenn ich groß genug wäre, um sie zu verstehen. Er schrieb einen Brief in die Zukunft.

Wenn es wirklich mein Vater war, der die vielen Blätter, auf denen die Geschichte steht, in das Polster der alten Karre gesteckt hat, dann muss er davon überzeugt gewesen sein, dass Post immer ankommt. Ich habe mir überlegt, dass man sicherheitshalber alle alten Dinge sehr genau untersuchen sollte, ehe man sie auf den Flohmarkt bringt oder in einen Container wirft. Ich wage fast nicht mir vorzustellen, was man auf einer Müllhalde an alten Briefen und ähnlichen Sachen finden könnte.

Eins habe ich mir in den letzten Tagen immer wieder überlegt. Ich finde, es müsste eine viel einfachere Methode geben, um einen Brief in die Zukunft zu schicken, als ihn ins Polster eines Kinderwagens zu schieben.

Es kann vorkommen, dass das, was wir schreiben, erst in vier Stunden, vierzehn Tagen oder vierzig Jahren gelesen werden soll. Die Geschichte des »Orangenmädchens« ist so ein Fall. Sie wurde für einen Georg von zwölf oder vierzehn Jahren geschrieben, also für einen Georg, den mein Vater noch nicht kannte und von dem er annehmen musste, dass er ihn auch niemals kennen lernen würde.

Aber jetzt muss diese Geschichte endlich einen richtigen Anfang bekommen.

Vor einer knappen Woche kam ich aus der Musikschule nach Hause und meine Großeltern waren überraschend zu Besuch gekommen. Sie waren plötzlich aus Tønsberg aufgetaucht und wollten bei uns übernachten.

Mama und Jørgen waren ebenfalls da, und alle vier sahen unbeschreiblich erwartungsvoll aus, als ich ins Haus kam und meine Schuhe auszog. Die waren schmutzig und nass, aber darauf achtete niemand. Sie dachten an etwas ganz anderes. Ich hatte das Gefühl, dass etwas in der Luft lag.

Mama sagte, Miriam sei schon im Bett, was sie sehr gut zu finden schien, wo meine Großeltern doch da waren. Sie sind ja nicht Miriams Großeltern. Miriam hat ihre eigenen. Das sind auch nette Leute, und manchmal schauen auch sie bei uns herein, aber es heißt nicht umsonst, dass Blut dicker ist als Wasser.

Ich ging ins Wohnzimmer und setzte mich auf den Teppichboden, und jetzt machten alle so feierliche Gesichter, dass ich schon glaubte, es sei etwas Schlimmes passiert. Ich war mir nicht bewusst, in letzter Zeit in der Schule etwas angestellt zu haben, ich war ohne Verspätung von der Klavierstunde nach Hause gekommen und hatte schon seit vielen Monaten keine Zehnkronenstücke mehr aus der Küche geklaut. Deshalb sagte ich einfach: »War was?«

Und jetzt verbreitete Oma sich darüber, dass sie einen Brief gefunden hätten, den mein Vater kurz vor seinem Tod an mich geschrieben habe. Ich merkte, wie sich mein Magen zusammenkrampfte. Er war seit elf Jahren tot. Ich wusste nicht einmal so sicher, ob ich mich an ihn erinnern konnte. Ein Brief von meinem Vater, das klang schrecklich feierlich, fast wie ein Testament.

Dann sah ich, dass Oma einen dicken Umschlag in der Hand hielt; den reichte sie mir jetzt. Er war zugeklebt und darauf stand nur: »Für Georg«. Es war nicht die Schrift meiner Großmutter, auch nicht die von Mama oder Jørgen. Ich riss den Umschlag auf und zog einen dicken Stapel Blätter heraus. Und fuhr heftig zusammen, denn oben auf dem ersten Blatt stand:

Sitzt du gut, Georg? Auf jeden Fall musst du fest sitzen, denn ich werde dir eine nervenaufreibende Geschichte erzählen …

Mir wurde schwindlig. Was war das denn? Ein Brief von meinem Vater? Aber war der auch echt?

»Sitzt du gut, Georg?« Ich glaubte, seine Dröhnstimme zu hören, und jetzt nicht nur im Video, ich hörte sie, als wäre mein Vater plötzlich wieder lebendig geworden und säße bei uns im Zimmer.

Obwohl der Briefumschlag zugeklebt gewesen war, musste

ich doch fragen, ob die Erwachsenen die vielen Blätter schon gelesen hätten, aber alle schüttelten den Kopf und behaupteten, auch nicht einen Satz davon zu kennen.

»Nicht ein Jota«, sagte Jørgen, und seine Stimme klang verlegen, was nicht gerade typisch ist für ihn. Aber vielleicht dürften sie den Brief meines Vaters ja lesen, wenn ich damit fertig wäre, sagte er. Ich glaube, er wollte unbedingt wissen, was darin stand. Ich hatte das Gefühl, dass er aus irgendeinem Grund ein schlechtes Gewissen hatte.

Meine Großmutter erzählte, warum sie sich an diesem Nachmittag ins Auto gesetzt hatten und nach Oslo gefahren waren. Sie glaubte nämlich, ein altes Rätsel gelöst zu haben, wie sie sagte. Das klang ziemlich geheimnisvoll, und geheimnisvoll war es auch.

Als mein Vater krank geworden war, hatte er Mama erzählt, dass er etwas für mich schreiben wolle. Einen Brief nämlich, den ich lesen sollte, wenn ich groß wäre. Aber ein solcher Brief war niemals aufgetaucht und jetzt war ich fünfzehn.

Das Neue war, dass Oma plötzlich etwas ganz anderes eingefallen war, worüber mein Vater ebenfalls gesprochen hatte. Er hatte verlangt, dass die rote Kinderkarre unter gar keinen Umständen weggegeben werden dürfe. Oma glaubte, sich fast wortwörtlich daran erinnern zu können, was er gesagt hatte, es war im Krankenhaus gewesen. »Die Karre behaltet ihr doch ganz bestimmt«, hatte er gesagt. »Bitte, gebt sie nicht weg. Sie hat in diesen Monaten für Georg und mich so viel bedeutet. Ich will, dass Georg sie bekommt. Sagt es ihm irgendwann einmal. Sagt es ihm, wenn er erwachsen genug ist, um zu verstehen, dass ich mir so wünsche, sie für ihn aufzubewahren.«

Deshalb wurde die alte Karre nie weggeworfen und auch nicht auf den Flohmarkt gegeben. Das respektierte sogar Jørgen. Seit er in den Humlevei gezogen war, hatte er gewusst, dass er etwas nicht anrühren durfte, nämlich die rote Karre. Er brachte ihr dann auch solche Achtung entgegen, dass er für Miriam eine nagelneue kaufte. Vielleicht gefiel ihm die Vorstellung nicht, seine Tochter in derselben Karre zu fahren, in der mein Vater mich vor vielen Jahren gefahren hatte, vielleicht sprach daraus Respekt vor meinem Vater. Aber gut möglich, dass er sich nur eine modernere Karre wünschte. Er ist ziemlich modebewusst, um nicht zu sagen, er ist ein Modenarr.

Ein Brief und eine Kinderkarre also. Und Oma hatte elf Jahre gebraucht, um dieses Rätsel zu lösen. Erst jetzt war ihr aufgegangen, dass vielleicht jemand in den Geräteschuppen gehen und sich die alte Karre ein bisschen genauer anschauen sollte. Und Omas Ahnungen hatten sie nicht getrogen. Die Karre war nicht einfach nur eine Karre. Sie war ein Briefkasten.

Ich wusste nicht recht, ob ich diese Geschichte glauben konnte. Es ist nie möglich zu entscheiden, ob Eltern und Großeltern die Wahrheit sagen, jedenfalls nicht, wenn es um »empfindliche Themen« geht, wie Oma das gern nennt.

Heute kommt es mir als das größte aller Rätsel vor, warum damals vor elf Jahren niemand Verstand genug besaß, den alten Computer meines Vaters anzuwerfen. Darauf hatte er den Brief doch geschrieben. Sie versuchten es natürlich, hatten aber nicht genug Fantasie, um sein Passwort zu erraten. Es konnte höchstens aus acht Buchstaben bestehen, die Computer waren damals noch nicht weiter. Aber nicht einmal Mama konnte den Code knacken. Es ist wirklich unglaublich. Also hatten sie den alten Computer einfach auf dem Dachboden deponiert!

Die Sache mit Papas Computer erzähle ich noch genauer.

Jetzt muss endlich mein Vater zu Wort kommen. Aber zwischendurch werde ich meine Kommentare einbauen. Und ich werde ein Nachwort schreiben. Das muss so sein, denn in seinem langen Brief stellt mein Vater mir eine bedeutungsschwere Frage. Und meine Antwort auf diese Frage ist ungeheuer wichtig für ihn.

Ich verzog mich mit einer Flasche Cola und dem Blätterstapel auf mein Zimmer. Als ich mich dort einschloss, was ich sonst nie tue, protestierte Mama, aber sie sah bald ein, dass das keinen Zweck hatte.

Es war ein so feierliches Gefühl, einen Brief von jemandem zu lesen, der nicht mehr lebt, dass ich die Vorstellung, dabei die ganze Verwandtschaft um mich herum zu haben, nicht ertragen konnte. Schließlich war der Brief von meinem Vater, der schon seit elf Jahren nicht mehr da war. Ich brauchte Ruhe.

Es war so seltsam, mit dem Blätterstapel in den Händen dazustehen, ich hatte ein wenig das Gefühl, als hätte ich ein neues Fotoalbum mit nagelneuen Bildern von meinem Vater und mir entdeckt. Draußen fiel dichter Schnee. Es hatte schon zu schneien angefangen, als ich aus der Musikschule nach

Hause gegangen war. Ich glaubte nicht, dass der Schnee liegen
bleiben würde. Es war Anfang November.
    Ich setzte mich aufs Bett und fing an zu lesen.

Sitzt du gut, Georg? Auf jeden Fall musst du fest sitzen, denn
ich werde dir eine nervenaufreibende Geschichte erzählen.
Vielleicht hast du es dir ja schon auf dem gelben Ledersofa
gemütlich gemacht. Wenn ihr das nicht durch ein neues er-
setzt habt, was weiß denn ich. Ich kann mir übrigens auch gut
vorstellen, dass du in dem alten Schaukelstuhl im Wintergarten sitzt, den hast du doch immer so gern gehabt. Oder
bist du draußen auf der Terrasse? Ich weiß ja nicht, welche
Jahreszeit gerade ist. Und vielleicht wohnt ihr überhaupt nicht
mehr im Humlevei.
    Was weiß denn ich?
    Ich weiß nichts. Wer leitet die norwegische Regierung?
Wie heißt der Generalsekretär der Vereinten Nationen? Und
sag, wie sieht es mit dem Hubble-Teleskop aus? Weißt du das?
Wissen die Astronomen jetzt mehr darüber, wie das Universum aufgebaut ist?

Ich habe viele Male versucht, mich einige Jahre in die Zukunft
hineinzudenken, aber ich habe es nie geschafft, mir auch nur
annähernd ein Bild von dir dort zu machen, wo du jetzt lebst.
Ich weiß nur, wer du bist. Mehr nicht. Ich weiß nicht einmal,
wie alt du bist, wenn du das liest. Vielleicht bist du zwölf oder
vierzehn Jahre alt, und ich, dein Vater, bin längst aus der Zeit
hinausgegangen.
    Tatsache ist, dass ich mir schon jetzt wie ein Gespenst vor-

komme, ich muss jedes Mal, wenn ich daran denke, nach Luft schnappen. Ich begreife jetzt, warum Gespenster so oft wie die Blöden schnaufen und prusten. Sie wollen damit die Menschen, die nach ihnen gekommen sind, nicht verängstigen. Aber es fällt ihnen eben so schrecklich schwer, in einer anderen Zeit als ihrer eigenen zu atmen.

Wir haben nicht nur einen Platz im Dasein. Wir haben die uns zubemessene Zeit.

So ist es, und ich kann nur meinen Ausgangspunkt in dem nehmen, was mich jetzt umgibt. Ich schreibe im August 1990.

Heute – also, wenn du das hier liest – hast du sicher das meiste von dem vergessen, was du und ich in den warmen Sommermonaten erlebt haben, als du dreieinhalb Jahre alt warst. Aber noch gehören diese Tage uns und noch können wir viele schöne Stunden miteinander verbringen.

Ich werde dir etwas anvertrauen, das mir im Moment nicht aus dem Kopf will: Mit jedem einzelnen Tag, der vergeht, und mit jeder neuen Kleinigkeit, die wir unternehmen, steigt auch die Chance, dass du dich an mich erinnern wirst. Ich zähle jetzt Wochen und Tage. Am Dienstag waren wir oben auf dem Tryvannsturm und schauten über das halbe Königreich, bis nach Schweden konnten wir blicken. Mama auch, wir waren alle drei dort. Aber vielleicht kannst du dich daran erinnern?

Kannst du nicht wenigstens versuchen dich zu erinnern, Georg? Versuch es, mach das einfach, denn das alles hast du irgendwo in dir.

Kannst du dich an deine große Holzeisenbahn erinnern? Du spielst jeden Tag viele Stunden damit. Ich schaue jetzt zu der Bahn hinüber. Schienen, Züge und Fährschiffe liegen hier im Zimmer auf dem Boden verstreut, genau so, wie du sie vorhin verlassen hast. Am Ende musste ich dich einfach von allem losreißen, weil wir zum Kindergarten mussten, aber deine Händchen scheinen die Stücke noch immer zu berühren. Ich habe nicht gewagt, auch nur eine einzige Schiene zu verlegen.

Erinnerst du dich an den Computer, auf dem wir an den Wochenenden Computerspiele spielten? Als er ganz neu war, stand er oben in meinem Arbeitszimmer, aber vorige Woche habe ich ihn hier unten aufgestellt. Ich will jetzt lieber dort sein, wo alle deine Dinge sind. Und nachmittags bist du hier, Mama auch. Und Oma und Opa kommen jetzt häufiger zu Besuch als früher. Das ist schön.

Erinnerst du dich an das grüne Dreirad? Es steht draußen auf dem Kiesweg und ist fast noch nagelneu. Wenn du es nicht vergessen hast, dann vielleicht nur, weil es noch immer in der Garage oder im Geräteschuppen herumliegt, alt und nicht mehr verwendbar, stelle ich mir vor. Oder ist es auf dem Flohmarkt gelandet?

Und was ist mit der roten Kinderkarre, Georg? Ja, was ist damit?

Du musst doch irgendwelche Erinnerungsbilder haben, an unsere vielen Spaziergänge um den See Sognsvann zum Beispiel. Oder an unsere Besuche im Ferienhaus. Wir waren drei Wochenende hintereinander auf Fjellstølen. Aber jetzt traue ich mich nicht, weitere Fragen zu stellen, wirklich nicht, vielleicht kannst du dich ja an gar nichts aus der Georg-Zeit erinnern, die auch meine Zeit war. Daran lässt sich dann nichts ändern.

Ich will dir eine Geschichte erzählen, das habe ich angekündigt, aber ich kann nicht im Handumdrehen den passenden Tonfall für diesen Brief finden. Ich habe wohl schon den Fehler gemacht, mich an den kleinen Wicht zu wenden, den ich so gut zu kennen glaube. Aber du bist ja nicht mehr klein, wenn du diese Zeilen liest. Du bist nicht mehr der kleine Wicht mit den gelben Locken.

Ich kann mich hören, ich plappere hier ungefähr so herum, wie alte Tanten auf kleine Kinder einreden, und das ist dumm, denn ich suche doch jetzt den großen Georg – den ich niemals gesehen habe, mit dem ich niemals richtig sprechen konnte.

Ich schaue auf die Uhr. Ich bin erst vor einer Stunde zurückgekommen, nachdem ich dich in den Kindergarten gebracht hatte.

Wenn wir den Bach überqueren, willst du immer aus der Karre springen und ein Stöckchen oder einen Stein ins Wasser werfen. Neulich hast du eine leere Saftflasche gefunden und auch die hast du hineingeworfen. Ich habe nicht einmal versucht, dich davon abzuhalten. Im Moment kannst du so ungefähr machen, was du willst. Und wenn wir zum Kindergarten kommen, stürzt du meistens zu den anderen, ehe wir uns ordentlich voneinander verabschiedet haben. Man könnte meinen, dir läuft die Zeit davon, nicht mir. Und das ist eine seltsame Vorstellung. Alte Menschen scheinen oft mehr Zeit zu haben als kleine Kinder, vor denen noch ihr ganzes Leben liegt.

Ich bin ja noch nicht so alt, dass es der Rede wert wäre, ich halte mich jedenfalls noch für einen jungen Mann oder zumindest einen jungen Vater. Trotzdem würde ich die Zeit am liebsten anhalten. Ich hätte nichts dagegen, wenn diese Tage bis in alle Ewigkeit dauern könnten. Abend und Nacht würden natürlich kommen, denn der Tag folgt eben seinem Ablauf, seinem eigenen rollenden Rhythmus, aber dann könnte der nächste Tag genau an derselben Stelle beginnen wie der davor.

Ich habe nicht mehr das Bedürfnis, mehr zu sehen oder zu erleben, als ich schon gesehen und erlebt habe. Ich möchte nur so schrecklich gern das behalten, was ich habe. Aber es sind Diebe am Werk, Georg. Ungebetene Gäste haben angefangen, mir die Lebenskraft auszusaugen. Sie sollten sich schämen.

Im Moment finde ich es besonders schön und besonders schwer, dich zum Kindergarten zu bringen. Denn obwohl ich mich noch problemlos bewegen und dich sogar noch in der Karre schieben kann, weiß ich doch zugleich, dass mein Körper schrecklich krank ist.

Es sind die barmherzigen Krankheiten, die uns sofort ans Bett fesseln. Eine grausame Krankheit braucht in der Regel lange, ehe sie dich am Ende umwirft und für immer zu Boden schlägt. Vielleicht weißt du noch, dass ich Arzt war, Mama hat dir bestimmt einiges über mich erzählt, da bin ich mir sicher. Jetzt habe ich mich krankschreiben lassen, und ich weiß, wovon ich rede. Ich bin kein Patient, der sich an der Nase herumführen lässt.

Es gibt also zwei Zeiten in unserer Rechnung, oder in unserer allerletzten Begegnung. Ich habe manchmal das Gefühl, dass wir jeder auf einem nebligen Berggipfel stehen und versuchen, uns über diese Entfernung hinweg ausfindig zu machen. Zwischen uns liegt ein verzaubertes Tal, das du soeben auf deinem Lebensweg hinter dich gebracht hast, in dem ich dich jedoch niemals sehen durfte. Ich muss trotzdem versuchen, mich an diesen Vormittagen, die du im Kindergarten verbringst, auf das Jetzt zu konzentrieren – und auf den Moment, in dem du das hier irgendwann lesen wirst und der nur dir gehört.

Du musst wissen, dass meine Haut glühend heiß davon wird, dass ich an einen hinterbliebenen Sohn schreibe, und es wird auch ein wenig wehtun, das, was ich dir schreibe, zu lesen. Aber du bist jetzt ein kleiner Mann. Wenn ich diese Zeilen zu Papier bringen konnte, musst du es auch ertragen können, sie zu lesen.

Du siehst, ich stelle mich der Tatsache, dass ich vielleicht alles verlassen muss, Sonne und Mond und alles, was es gibt, vor allem aber Mama und dich. Das ist die Wahrheit und sie tut weh.

Ich möchte eine bedeutungsschwere Frage an dich richten, Georg, deshalb schreibe ich das hier. Aber bevor ich dir diese Frage stellen kann, muss ich die nervenaufreibende Geschichte erzählen, die ich dir versprochen habe.

Seit deiner Geburt freue ich mich schon darauf, dir von dem Orangenmädchen zu erzählen. Heute – also während ich das schreibe – bist du zu klein, um diese Geschichte zu verstehen. Deshalb soll sie mein kleines Erbe für dich sein. Sie soll irgendwo liegen und auf einen anderen Tag in deinem Leben warten.

Jetzt ist dieser Tag da.

Als ich so weit gelesen hatte, musste ich aufblicken. Ich hatte so oft versucht, mich an meinen Vater zu erinnern, und jetzt versuchte ich es wieder. Darum hatte er mich ja gebeten. Aber ich hatte den Eindruck, dass alle meine Erinnerungen von den Videos und aus dem Fotoalbum stammten.

Ich konnte mich daran erinnern, dass ich früher eine große Holzeisenbahn gehabt hatte, aber die Erinnerung an meinen Vater wurde damit nicht klarer. Mein grünes Dreirad stand noch immer in der Garage, daran konnte ich mich wohl auch von früher her erinnern, da war ich mir ziemlich sicher. Und die rote Karre hatte immer hinten im Geräteschuppen gestanden. Aber an die Spaziergänge um den See hatte ich keine Erinnerungen. Ich erinnerte mich auch nicht daran, dass ich mit meinem Vater auf dem Tryvannsturm gewesen war. Ich hatte den Tryvannsturm oft besucht, aber mit Mama und Jørgen. Einmal war ich mit Jørgen allein dort gewesen, damals, als Mama nach Miriams Geburt im Krankenhaus lag.

An das Ferienhaus auf Fjellstølen hatte ich natürlich jede Menge Erinnerungen. Aber in denen spielte mein Vater einfach keine Rolle. Dort gab es nur Mama, Jørgen und die kleine Miriam. Wir haben da oben ein altes Hüttenbuch, und ich habe oft gelesen, was mein Vater vor seinem Tod hineingeschrieben hat. Das Problem war nur immer, dass ich nicht wusste, ob ich mich an die Dinge, die er erwähnte, auch wirklich erinnern konnte. Es war ungefähr so wie mit den Fotos und den Videos. »Am Karsamstagabend haben Georg und ich ein sensationell hohes Schneehäuschen gebaut und Kerzen hineingestellt . . .« Ich hatte diese Geschichten natürlich gelesen und einige kannte ich auswendig. Aber ich hatte mich nie daran erinnern können, dass ich tatsächlich dabei gewesen war, als das alles passierte. Ich war erst zweieinhalb Jahre alt, als mein Vater und ich das sensationell hohe Schneehäuschen mit den vielen Kerzen bauten. Wir haben auch davon ein Foto, aber es ist so dunkel, dass nur die Kerzen zu sehen sind.

Und dann war da noch etwas, wonach mich mein Vater in dem langen Brief, den ich gerade las, fragte:

Und sag, wie sieht es mit dem Hubble-Teleskop aus? Weißt du das? Wissen die Astronomen jetzt mehr darüber, wie das Universum aufgebaut ist?

Mir lief es eiskalt den Rücken hinunter, als ich das las, denn ich hatte gerade erst eine lange Hausarbeit über dieses Weltraumteleskop geschrieben, über das Hubble Space Telescope, *wie es auf Englisch heißt. Andere in der Klasse schrieben über englischen Fußball, die Spice Girls oder Roald Dahl. Aber ich war in der Bücherei gewesen und hatte alles ausgeliehen, was es über das Hubble-Teleskop gab, und dann hatte ich darüber geschrieben. Ich hatte die Hausarbeit erst vor wenigen Wochen abgegeben, und der Lehrer hatte in mein Heft geschrieben, er sei überaus beeindruckt von »einer so erwachsenen, durchdachten und kenntnisreichen Annäherung an dieses schwierige Thema«. Ich war vielleicht noch nie so stolz gewesen wie in dem Augenblick, als ich diesen Satz las. Die Überschrift über dem Kommentar des Lehrers war: »Blumen für einen Hobby-Astronomen!« Er hatte sogar einen schönen Blumenstrauß dazugemalt.*

War mein Vater ein Hellseher gewesen? Oder war es der

pure Zufall, dass er mich nur wenige Wochen, nachdem ich die Hausarbeit abgegeben hatte, nach dem Hubble-Teleskop fragte?

Oder war der Brief gar nicht echt? Lebte mein Vater vielleicht noch? Wieder lief es mir eiskalt den Rücken hinunter.

Ich saß auf meinem Bett und zerbrach mir den Kopf. Das Hubble-Teleskop wurde am 25. April 1990 von der Raumfähre Discovery auf seine Umlaufbahn um die Erde gebracht. Das war genau zu der Zeit, als mein Vater krank geworden war, gleich nach Ostern 1990. Das hatte ich immer gewusst. Ich hatte über diese Gleichzeitigkeit nur nie nachgedacht. Vielleicht hatte mein Vater sogar am selben Tag, an dem die Discovery mit dem Hubble-Teleskop an Bord in Cape Canaveral gestartet war, von seiner Krankheit erfahren, vielleicht in genau derselben Stunde oder in derselben Minute.

Dann konnte ich gut verstehen, dass ihn das Schicksal des Weltraumteleskops so interessierte. Es wurde bald festgestellt, dass der Hauptspiegel des Teleskops falsch geschliffen war. Mein Vater konnte nicht wissen, dass Astronauten von der Raumfähre Endeavour diesen Fehler Ende Dezember 1993 repariert hatten, denn damals war er seit fast genau drei Jahren tot. Natürlich wusste er auch nichts von den tollen Zusatzgeräten, die im Februar 1997 am Hubble-Teleskop angebracht wurden.

Mein Vater war gestorben, ohne zu erfahren, dass das Hubble-Teleskop die besten und schärfsten Bilder machte, die je vom Universum aufgenommen wurden. Ich hatte viele davon im Internet gefunden und eine Menge in meine Hausarbeit eingeklebt. Einige meiner Lieblingsbilder habe ich außerdem in meinem Zimmer aufgehängt, zum Beispiel das gestochen scharfe Bild des Riesensterns Eta Carina, *der mehr als 8000 Lichtjahre von unserem Sonnensystem entfernt ist.* Eta Carina *ist einer der massivsten Sterne in der Milchstraße und wird bald wie eine Supernova explodieren, um schließlich zu einem Neutronenstern oder einem schwarzen Loch zusammenzufallen. Ein anderes Lieblingsbild von mir ist das der riesigen Gas- und Staubsäulen im Adlernebel (auch* M 16 *genannt). Hier werden neue Sterne geboren!*

Wir wissen heute viel mehr über das Universum als 1990 und vieles davon verdanken wir dem Hubble-Teleskop. Es hat tausende von Bildern von Galaxien und Sternennebeln aufgenommen, die viele Millionen Lichtjahre von der Milchstraße entfernt sind. Es hat außerdem ganz unglaubliche Bilder aus der Vergangenheit des Universums geliefert. Es klingt vielleicht magisch, dass man Bilder aus der Vergangenheit des Universums machen kann, aber ein Blick ins Universum ist dasselbe wie ein Blick zurück in der Zeit. Das Licht bewegt sich nämlich mit einer Geschwindigkeit von 300 000 Kilometern in der Sekunde, und trotzdem kann das Licht ferner Galaxien Milliarden Jahre brauchen, um zu uns zu gelangen, denn das Universum ist unvorstellbar groß. Das Hubble-Teleskop hat Bilder von Galaxien gemacht, die über zwölf Milliarden Lichtjahre entfernt sind, das bedeutet, dass es über zwölf Milliarden Lichtjahre in der Geschichte des Universums zurückgeschaut hat. Das ist eine ziemlich irre Vorstellung, denn damals war das Universum noch keine Jahrmilliarde alt. Das Hubble-Teleskop schafft den Blick zurück bis fast zum Urknall, durch den Zeit und Raum entstanden sind. Ich weiß darüber allerlei und deshalb schreibe ich das jetzt auf. Ich darf nur nicht alles aufzählen, was ich weiß. Meine Hausaufgabe war immerhin siebenundvierzig Seiten lang!

Ich fand es ziemlich unheimlich, dass mein Vater in seinem Brief das Weltraumteleskop erwähnte. Ich habe mich immer für Raumforschung interessiert, und vielleicht ist die Fähigkeit, den Blick von dem zu heben, was auf diesem Planeten passiert, mehr oder weniger vererbbar. Aber ich hätte meine Hausaufgabe ja auch über das Apollo-Programm und die ersten Menschen auf dem Mond schreiben können. Ich hätte über Galaxien und schwarze Löcher schreiben können, denn ich weiß auch über Galaxien und schwarze Löcher allerlei, ganz zu schweigen von Galaxien mit schwarzen Löchern. Ich hätte über das Sonnensystem mit den neun Planeten und dem großen Asteroidengürtel zwischen Jupiter und Mars schreiben können. Oder über die riesigen Teleskope auf Hawaii. Aber ich hatte mich ausgerechnet für das Hubble-Teleskop entschieden. Wie hatte mein Vater das erraten können?

Da war es schon leichter zu verstehen, dass er den Generalsekretär der Vereinten Nationen erwähnte: Ich bin am 24. Oktober geboren, am UN-Tag also. Der Generalsekretär jedenfalls heißt Kofi Annan. Und Norwegens Regierungschef ist Kjell Magne Bondevik, er hat soeben Jens Stoltenberg abgelöst.

Während ich mir das alles überlegte, klopfte Mama an die Tür und wollte wissen, ob alles in Ordnung sei. »Nicht stören«, rief ich nur. Ich hatte doch erst vier Seiten gelesen.

Ich dachte: Erzähl du nur, mein Vater, erzähl. Erzähl vom »Orangenmädchen«. Ich sitze hier und warte. Denn jetzt ist der Tag gekommen. Jetzt ist Zeit zum Lesen.

Die Geschichte des Orangenmädchens beginnt eines Nachmittags, als ich vor dem Nationaltheater auf die Straßenbahn wartete. Es war gegen Ende der Siebzigerjahre und es war im Spätherbst.

Ich weiß noch, dass ich an mein soeben aufgenommenes Medizinstudium dachte. Es war eine seltsame Vorstellung, dass ich eines Tages ein richtiger Arzt sein würde, der echte Kranke empfing, die ihr Schicksal in meine Hände legen wollten. Ich würde im weißen Kittel hinter einem riesigen Schreibtisch sitzen und sagen: »Wir werden doch eine Blutprobe nehmen müssen, Frau Johnsen«, oder: »Haben Sie das schon lange?«

Dann kam endlich die Straßenbahn, ich sah sie schon von weitem, zuerst glitt sie am Parlament vorbei, dann zockelte sie durch die Stortingsgate. Und was mir seither doch immer irgendwie zu schaffen gemacht hat, ist, dass ich mich einfach nicht daran erinnern kann, wo ich damals hinwollte. Jedenfalls stieg ich kurz darauf in eine leuchtend blaue Bahn, die zur Endstation Frogner fuhr und voller Menschen war.

Als Allererstes fiel mir ein witziges Mädchen auf, das mit einer riesigen, mit üppigen Orangen voll gestopften Papiertüte im Mittelgang stand. Sie trug einen alten orangefarbenen Wanderanorak, und ich weiß noch, wie ich dachte, die Tüte, die sie so energisch an sich drückte, sei so groß und so schwer, dass sie ihr jeden Augenblick runterfallen könnte. Aber ich achtete nicht so sehr auf die Orangen, sondern auf die junge Dame selber. Ich wusste nämlich sofort, dass sie etwas ganz Besonders an sich hatte, etwas unergründlich Magisches und Bezauberndes.

Mir fiel außerdem auf, dass sie mich anschaute, mich sozusagen aus allen Menschen ausgesucht hatte, die sich an der Haltestelle in die Bahn drängten, es geschah im Laufe einer einzigen Sekunde, fast so, als seien wir schon eine Art geheimer Allianz miteinander eingegangen. Sobald ich in der Bahn stand, fing sie mich mit einem festen Blick ein, und vielleicht schaute ich zuerst in eine andere Richtung, das ist gut möglich, denn damals war ich schrecklich schüchtern. Trotzdem: Ich weiß noch, dass ich auf dieser kurzen Bahnfahrt ganz klar und deutlich dachte, dass ich gerade dieses Mädchen niemals vergessen würde. Ich wusste nicht, wer sie war, ich kannte ihren Namen nicht, aber schon vom ersten Augenblick an besaß sie eine fast unheimliche Macht über mich.

Sie war einen halben Kopf kleiner als ich, hatte lange dunkle Haare, braune Augen, und ich schätzte sie auf ungefähr neunzehn, so alt wie ich also. Als sie aufschaute und mir sozusagen zunickte, ohne auch nur die kleinste Kopfbewegung zu machen, lächelte sie frech und verschmitzt, fast als wären wir alte Bekannte oder – das sage ich jetzt ganz offen – als hätten wir vor langer, langer Zeit ein ganzes Leben zusammengelebt, sie und ich. Ich hatte das Gefühl, in ihren braunen Augen etwas in der Richtung zu lesen.

Ihr Lächeln hatte zwei Grübchen in ihre Wangen gezaubert, und es lag zwar nicht daran, aber ich weiß noch, dass sie mich an ein Eichhörnchen erinnerte, sie war jedenfalls genauso niedlich. Wenn wir wirklich ein gemeinsames Leben hinter uns haben, dann vielleicht als zwei Eichhörnchen in einem Baum, dachte ich, und der Gedanke an ein verspieltes Eichhörnchenleben mit dem geheimnisvollen Orangenmädchen war mir keineswegs unangenehm.

Aber warum lächelte sie so listig und herausfordernd? Und galt ihr Lächeln wirklich mir? Oder lächelte sie nur über einen witzigen Gedanken, der ihr plötzlich gekommen war und also nichts mit mir zu tun hatte? Oder lächelte sie *über* mich? Auch das war eine Möglichkeit, die ich nicht außer Acht lassen durfte. Aber ich bot keinen besonders witzigen Anblick, ich glaube, ich sah ziemlich normal aus, und sie war es doch, nicht ich, die mit dieser riesigen Orangentüte vor ihrem Bauch unbestreitbar ein wenig komisch wirkte. Vielleicht lächelte sie ja deshalb, über sich selbst also. Vielleicht hatte sie ungeheuer viel Selbstironie. Das ist eine Eigenschaft, die nicht alle Menschen besitzen.

Ich wagte nicht, ihr noch einmal in die Augen zu schauen. Ich starrte nur die große Orangentüte an. Jetzt fällt sie ihr gleich runter, dachte ich. Sie darf ihr nicht runterfallen. Jetzt fällt sie doch.

In der Tüte steckten bestimmt fünf Kilo Orangen, vielleicht sogar acht oder zehn.

Die Straßenbahn fährt den Drammensvei hoch. Versuch dir das vorzustellen. Sie ruckt und müht sich ab, sie hält bei der Botschaft der USA, sie hält am Solli plass, und jetzt, als sie gerade in den Frognervei einbiegen will, geschieht das, was ich die ganze Zeit befürchtet habe. Die Bahn schlingert bedrohlich, so kommt es mir jedenfalls vor, das Orangenmädchen gerät ein wenig ins Schwanken, und mir geht im Bruchteil einer Sekunde auf, dass ich es bin, der die riesige Orangentüte vor dem Schiffbruch retten muss. Jetzt ... nein, jetzt!

Und hier kommt es vielleicht zu einer fatalen Fehleinschätzung meinerseits. Ich führe jedenfalls ein schicksalhaftes Manöver durch. Hör nur: Ich strecke energisch beide Arme aus und habe gleich darauf den einen Arm unter der Tüte und den anderen fest um die Taille der jungen Dame liegen. Und was glaubst du, was dann passiert? Das Mädchen in dem orangefarbenen Anorak lässt natürlich die Tüte mit den Orangen fallen, oder vielleicht presse ich sie auch aus ihrer Umarmung nach oben, fast so, als wäre ich auf sie eifersüchtig und wollte sie aus dem Weg räumen, mit der traurigen Folge, dass bald dreißig oder vierzig Orangen über die Knie der sitzenden Fahrgäste oder auf den Boden kullern, ja, durch die ganze Straßenbahn. Mir war in meinem Leben sicher schon so manche Peinlichkeit passiert, aber das hier war der Gipfel, es war der allerpeinlichste Moment, den ich je erlebt hatte.

Damit fürs Erste genug über die Orangen, sollen die noch einige Sekunden durch die Straßenbahn rollen, sie sind schließlich nicht die Hauptpersonen in dieser Straßenbahngeschichte. Inzwischen wendet das Mädchen sich mir zu und jetzt lächelt sie nicht mehr. Zuerst ist sie nur traurig, jedenfalls gleitet ein dunkler Schatten über ihr Gesicht. Jede einzelne Orange scheint für sie von ganz besonderer Bedeutung gewesen zu sein, ja, Georg, jede der vielen Orangen war offenbar unersetzlich. Es dauert nicht lange, denn im nächsten Moment blickt sie empört zu mir hoch und gibt mir auf diese Weise ganz klar zu verstehen, dass sie mich für das, was gerade geschehen ist, verantwortlich macht. Ich habe das Gefühl, ihr halbes Leben verdorben zu haben, von meinem eigenen ganz zu schweigen. Es kommt mir so vor, als hätte ich mir meine Zukunft ruiniert.

Du hättest dabei sein und für mich die Situation retten können, du hättest sicher etwas Witziges, Erlösendes gesagt. Aber damals hatte ich keine kleine Hand, die ich halten konnte, bis zu deiner Geburt sollten noch Jahre vergehen.

Tief beschämt lasse ich mich auf alle viere sinken und fange an, zwischen einem Gewimmel aus schmutzigen Stiefeln und Schuhen die Orangen zusammenzuklauben, aber ich kann nur ganz wenige retten. Die Tüte, in der sie gesteckt haben, ist zerrissen, das sehe ich rasch, die ist uns also keine Hilfe mehr.

Mir ging als bitterer Witz auf, dass ich wirklich Hals über Kopf auf die junge Dame hereingefallen war, im wahrsten Sinne des Wortes. Zwei Fahrgäste lachen fröhlich los, aber nur die bestgelaunten, sonst fehlt es nicht an gereizten Grimassen, die Bahn ist voll und das Gedränge fast unerträglich. Ich registriere, dass alle Fahrgäste, die den Vorfall mitbekommen haben, mich für den Schuldigen halten, obwohl ich doch eigentlich einen galanten Rettungseinsatz im Sinn gehabt hatte.

Meine letzte Erinnerung von dieser unseligen Straßenbahnfahrt ist folgendes Bild: Ich stehe da, die Arme voller Orangen, zwei habe ich in meine Hosentaschen gesteckt, und als ich nun wieder vor dem Mädchen in dem orangefarbenen Anorak stehe, schaut sie mir in die Augen und sagt mit spitzer Stimme: »Du Weihnachtsmann!«

Das war als Vorwurf gemeint, das ist klar, aber dann findet sie etwas von ihrer guten Laune wieder und fragt halb versöhnlich, halb spöttisch: »Krieg ich auch eine Orange?«

»Verzeihung«, sage ich nur. »Verzeihung.«

Jetzt hält die Bahn vor der Konditorei Møllhausen in Frogner, die Türen gehen auf, ich nicke verwirrt dem in meinen

Augen fast übernatürlichen Orangenmädchen zu, und gleich darauf fischt sie sich eine Orange aus meinen übervollen Armen und verschwindet so spielerisch leicht auf der Straße wie eine Fee im Märchen.

Die Straßenbahn ruckt wieder an und fährt weiter den Frognervei hoch.

»Krieg ich auch eine Orange?« Georg! Es waren doch ihre Orangen, mit denen ich hier bepackt war, zwei hatte ich in der Tasche, der Rest rollte über den Boden.

Plötzlich war ich nun derjenige, der über und über mit Orangen beladen dastand, und es waren nicht einmal meine. Ich kam mir vor wie ein schnöder Orangendieb, einige Fahrgäste brachten auch durchaus nicht witzige Sprüche zu diesem Thema, und ich weiß nicht mehr, was ich dachte, aber jedenfalls stahl ich mich an der nächsten Haltestelle aus der Bahn, am Frogner plass.

Beim Aussteigen hatte ich nur einen einzigen Gedanken im Kopf: Ich musste mich von diesen vielen Orangen befreien. Ich musste wie ein Seiltänzer balancieren, um sie nicht auf den Boden fallen zu lassen, trotzdem knallte eine aufs Pflaster, und ich konnte natürlich nicht das Risiko eingehen, mich zu bücken und sie aufzuheben.

Bald entdeckte ich eine Frau mit einem Kinderwagen, die gerade an dem alten Fischgeschäft vorüberging, du weißt schon, auf dem Frogner plass. (Na ja, ich kann natürlich nicht wissen, ob dieser Laden noch existiert.) Ziemlich langsam nähere ich mich der Frau mit dem Kinderwagen, und als ich an ihr vorbeigehe, ergreife ich die Gelegenheit beim Schopf und lade alle Orangen auf die rosa Babydecke, auch die beiden in meinen Hosentaschen, das Ganze ist innerhalb von ein oder zwei Sekunden gelaufen.

Das Gesicht dieser Frau hättest du sehen sollen, Georg! Ich hatte das Gefühl, etwas sagen zu müssen, deshalb bat ich sie, doch bitte mein kleines Geschenk für ihr Baby anzunehmen, jetzt, im Spätherbst, sei es sehr wichtig, alle Kinder ausreichend mit Vitamin C zu versorgen, damit wüsste ich genau Bescheid, fügte ich hinzu, ich studierte schließlich Medizin.

Sie hielt mich zweifellos für unverschämt, vielleicht auch für betrunken, und dass ich Medizin studierte, glaubte sie schon gar nicht, aber ich jagte schon in gestrecktem Galopp durch den Frognervei, deshalb konnte mir egal sein, was sie dachte. Und wieder gab es in meinem Kopf nur Platz für einen einzigen Gedanken: Ich musste das Orangenmädchen wieder finden. Ich musste sie so schnell wie möglich aufspüren und alles wieder gutmachen.

Ich weiß nicht, wie gut du dich in diesem Stadtteil auskennst, jedenfalls komme ich bald völlig außer Atem an der Ecke an, wo Frognervei, Fredrik Stangs gate, Elisenbergvei und Løvenskioldsgate zusammenstoßen, genau dort, wo das geheimnisvolle Mädchen mit einer einzigen armseligen Orange in der Hand aus der Straßenbahn ausgestiegen war. Genauso gut hätte ich auf der Place de l'Etoile stehen können, ich hatte jedenfalls viel zu viele Straßen zur Auswahl und das Orangenmädchen war spurlos verschwunden.

Ich lief an diesem Nachmittag noch stundenlang in Frogner hin und her, von der Feuerwache oben in Briskeby bis zur alten Rotkreuzklinik, und immer, wenn ich etwas entdeckte, das einem orangefarbenen Anorak ähnlich sah, machte das Herz in meiner Brust einen Sprung, aber die, nach der ich suchte, war wie vom Erdboden verschluckt.

Einige Stunden später ging mir auf, dass die junge Dame, der ich solche Schwierigkeiten bereitet hatte, vielleicht wohlbehalten hinter einem Fenster im Elisenbergvei saß und in aller Heimlichkeit beobachtete, wie ein junger Student verzweifelt hin und her rannte, ungefähr wie ein verwirrter Held in einem Abenteuerfilm. Er konnte die Prinzessin, nach der er suchte, einfach nicht finden. An seinem Einsatzwillen war nichts auszusetzen, aber er konnte sie nun einmal nicht aufspüren. Der Film schien irgendwo festzuhaken.

Einmal entdeckte ich in einem Papierkorb ein Stück frische Orangenschale. Ich nahm sie heraus und roch daran, aber wenn sie wirklich von meinem Orangenmädchen stammte, dann war sie zugleich deren allerletzte Spur.

Den ganzen restlichen Abend dachte ich an das Mädchen im orangefarbenen Anorak. Ich hatte mein Leben in Oslo verbracht, hatte sie aber noch nie gesehen, da war ich mir sicher. Und umso energischer nahm ich mir vor, nichts unversucht zu lassen, um sie wieder zu sehen. Wie durch ein Zauberwort hatte sie sich bereits zwischen mich und den Rest der Welt geschoben.

Wieder und wieder dachte ich an die vielen Orangen. Was wollte sie damit? Wollte sie eine nach der anderen schälen und sie dann aufessen, Stück für Stück, zum Beispiel zum Frühstück oder zum Mittagessen? Diese Vorstellung regte mich schrecklich auf. Vielleicht war sie krank und musste eine besondere Diät einhalten, auch dieser Gedanke kam mir und auch er machte mich nervös.

Aber es gab noch andere Möglichkeiten. Vielleicht wollte sie für ein Fest mit über hundert Gästen Orangenpudding kochen. Bei diesem Gedanken wurde ich sofort eifersüchtig, warum war ich eigentlich zu diesem Fest nicht eingeladen? Ich war außerdem davon überzeugt, dass die Geschlechter sich bei diesem Fest höchst ungleich verteilen würden. Über neunzig junge Männer waren eingeladen, aber nur acht weibliche Wesen. Ich glaubte zu wissen, warum. Der Orangenpudding sollte nämlich auf einem großen Semesterfest des Faches BWL serviert werden und in dem Fach gab es nur sehr wenige Studentinnen.

Ich versuchte, diesen Gedanken zu verdrängen, er war unerträglich, zugleich fand ich es regelrecht skandalös, dass es in BWL noch immer keine Frauenquote gab. Nun ja, ich konnte meiner Fantasie natürlich nicht ganz trauen. Vielleicht wollte das Orangenmädchen auch viele Liter Orangensaft auspressen, einfach, um sie im Kühlschrank ihrer engen Studentenbude zu haben, weil sie entweder den aus billigem Konzentrat aus Kalifornien hergestellten Saft aus dem Supermarkt hasste oder weil sie dagegen allergisch war.

Aber im Grunde hielt ich keine der beiden Möglichkeiten für sehr wahrscheinlich, weder den Saft noch den Pudding. Bald kam mir auch eine überzeugendere Idee: Das Orangenmädchen hatte einen alten Wanderanorak von der Sorte, wie Roald Amundsen ihn auf seinen berühmten Polwanderungen getragen hatte. Ich hatte immer schon gut Zeichen deuten können, in der Medizin wird das Diagnostik genannt, und niemand läuft in einem alten Wanderanorak durch Oslos Straßen, wenn das nicht irgendeine Bedeutung hat, schon gar nicht ist es üblich, dazu noch riesige Papiertüten voller saftiger Orangen mit sich herumzuschleppen.

Ich dachte: Das Orangenmädchen will natürlich per Ski Grönland oder zumindest die Hardangervidda überqueren, dann ist es natürlich gar nicht dumm, acht oder zehn Kilo Orangen in den Hundeschlitten zu legen, denn sonst riskiert man, in der Eiswüste an Skorbut zu sterben.

Ich ließ mich also wieder von meiner Fantasie verführen, denn ist »Anorak« nicht sowieso ein Inuit-Wort? Ganz bestimmt hatte diese Frau sich Grönland als Reiseziel ausgesucht. Aber was sollte jetzt aus dieser Grönlandexpedition werden? Es war nicht sicher, dass das geheimnisvolle Mädchen sich so einfach einen weiteren Orangenvorrat kaufen konnte, schließlich wäre sie fast in Tränen ausgebrochen, als ihr die erste Ladung runtergefallen war – schon stand für mich fest, dass sie sehr arm war.

Aber es gab noch weitere Möglichkeiten. Ich musste Vernunft annehmen und das einsehen. Vielleicht wohnte das Orangenmädchen bei einer großen Familie. Ja, warum nicht, wer sagte denn, dass sie zum Beispiel als Schwesternhelferin arbeitete und in einem kleinen Zimmer gegenüber der Rotkreuzklinik hauste? Vielleicht war sie ja auch das Kind einer ungeheuer großen, Orangen liebenden Familie. Diese Familie hätte ich gern besucht, Georg, ich konnte sie vor mir sehen, an dem großen Esstisch einer der gediegenen Wohnungen in Frogner, mit ihren hohen luftigen Zimmern und den Stuckrosetten unter der Decke. Mutter, Vater und sieben Kinder, vier Schwestern, zwei Brüder, dazu das Orangenmädchen selber, die älteste in der Geschwisterschar, die liebevolle, fürsorgliche große Schwester. Diese Qualitäten würde sie in der nächsten Zeit auch brauchen, denn jetzt würden viele Tage vergehen, ehe eins der kleinen Geschwister eine Orange als Proviant mit in die Schule nehmen könnte.

Oder – und bei diesem Gedanken lief es mir eiskalt den Rücken hinunter – vielleicht war sie ja auch die Mutter einer winzigen Familie, die nur aus ihr selbst, einem gut gebauten jungen Kerl, der gerade sein BWL-Studium abgeschlossen hatte, und einem Töchterchen von vier oder fünf Monaten bestand; das Töchterchen, setzte ich mir aus irgendeinem Grund in den Kopf, hieß bestimmt Ranveig.

Ich musste auch diese Möglichkeit in Betracht ziehen, daran führte kein Weg vorbei. Es stand nämlich keineswegs fest, dass die Mutter selbst das kleine Kind unter der rosa Decke an dem Fischgeschäft auf Frogner vorübergeschoben hatte. Sie konnte auch die vom Orangenmädchen beauftragte Tagesmutter gewesen sein. Was für eine entsetzliche Vorstellung! Andererseits würden dann wenigstens ein paar Orangen zu der jungen Dame mit dem Eichhörnchenblick zurückkehren. Die Welt war plötzlich winzig klein geworden und alles hatte seinen Sinn.

Es war mir immer schon überaus gut gelungen, zwei und zwei zusammenzuzählen, Zeichen zu deuten oder das zu erstellen, was wir Ärzte eine »Diagnose« nennen. Ich darf vielleicht hinzufügen, dass ich mir auch meine eigene Diagnose gestellt habe, als mir aufging, dass ich krank war. Darauf bin ich ein bisschen stolz. Ich ging einfach zu einem Kollegen und sagte ihm, was mir fehlte. Dann übernahm er meine Behandlung. Und dann …

Nun ja, Georg, an dieser Stelle *musste* ich einfach eine kleine Pause im Schreiben einlegen.

Du findest es vielleicht seltsam, dass ich so fröhlich über das schreibe, was an diesem Nachmittag vor so vielen Jahren geschehen ist. Aber in meiner Erinnerung erscheint es als lustige Episode, fast wie ein Stummfilm, und ich möchte, dass du es auch so erlebst. Das bedeutet nicht, dass ich mich besonders fröhlich fühle, ich meine jetzt, wo ich darüber schreibe. Tatsache ist, dass ich einfach ratlos bin, oder eher untröstlich, um ehrlich zu sein. Das will ich nicht verschweigen, aber mach dir deshalb keine Gedanken. Du wirst mich niemals weinen sehen, das habe ich fest beschlossen, und ich kann mich beherrschen.

Mama kommt jetzt bald von der Arbeit und du und ich sind allein zu Hause. Aber so, wie du hier auf dem Boden sitzt und mit deinen Buntstiften zeichnest, kannst du mich nicht trösten. Oder vielleicht kannst du es doch. Wenn du irgendwann in vielen Jahren diesen Brief von dem liest, der einmal dein Vater war, dann hast du vielleicht einen tröstlichen Gedanken für diesen Mann übrig. Und diese Vorstellung wärmt jetzt schon.

Zeit, Georg. Was ist Zeit?

Ich schaute ein Bild der Supernova 1987 A *an. Dieses Bild war ungefähr zu dem Zeitpunkt, an dem mein Vater auf seine Krankheit aufmerksam geworden war, mit dem Hubble-Teleskop aufgenommen worden.*

Er tat mir natürlich Leid. Aber ich war mir nicht sicher, ob es richtig von ihm war, mich mit seinem Kummer zu belasten. Ich konnte ja doch nichts für meinen Vater tun. Er lebte in einer anderen Zeit als der, die jetzt ist, und ich muss mein eigenes Leben leben. Wenn alle Menschen jede Menge Briefe von toten Vätern und anderen Vorfahren bekämen, würden wir am Ende unsere eigenen Leben nicht mehr in den Griff bekommen.

Ich merkte, dass mir Tränen in die Augen getreten waren. Es waren keine süßen Tränen, falls es so etwas überhaupt gibt, es waren bittere und starre Tränen, die nicht herunterfielen, sondern die einfach in den Augenwinkeln hängen blieben und brannten.

Ich musste daran denken, wie oft Mama und ich uns auf dem Friedhof um Papas Grab gekümmert hatten. Nachdem ich diese letzten Abschnitte gelesen hatte, beschloss ich, mich nie mehr daran zu beteiligen. Auf jeden Fall wollte ich nicht mehr allein auf den Friedhof gehen. Nie und nimmer.

Es ist nicht mal so schrecklich schwer, ohne Vater groß zu werden. Wirklich unheimlich wird es erst, wenn dein toter Vater plötzlich aus dem Grab zu dir spricht. Das Beste wäre es natürlich gewesen, wenn er seinen Sohn in Ruhe gelassen hätte. Er hatte ja schon angedeutet, dass er wie ein Gespenst aufgetaucht war.

Ich merkte, dass meine Hände schweißnass geworden waren. Aber ich wollte natürlich den ganzen Brief meines Vaters lesen. Vielleicht war es gut, dass er einen Brief in die Zukunft geschickt hatte, vielleicht nicht. Es war noch zu früh, um mir dazu wirklich eine Meinung zu bilden.

Er muss ein komischer Kauz gewesen sein, dachte ich, jeden-

falls mit neunzehn, in diesem Herbst gegen Ende der Siebzi-
gerjahre, denn ich fand, er machte zu viel Aufhebens um eine
Frau, die mit einer großen Orangentüte in den Armen in der
Straßenbahn nach Frogner gestanden hatte. Es kommt doch
nicht so selten vor, dass Männer und Frauen Blicke wechseln,
das haben sie sicher schon seit Adam und Eva so gemacht.

Warum hatte er nicht einfach geschrieben, dass er sich in sie
verliebt hatte? Das hatte die junge Dame sicher längst begrif-
fen, als er sich über ihre Orangen hergemacht hatte. Er hatte
schließlich auch einen Arm um sie gelegt. Vielleicht hatte er
sich heimlich gewünscht, einen Orangenwalzer mit ihr tanzen
zu können.

Wenn Kinder sich verlieben, raufen sie sich oder ziehen
einander an den Haaren. Einige bewerfen sich auch gegensei-
tig mit Schneebällen. Aber Neunzehnjährigen hatte ich bisher
mehr Verstand zugetraut.

Doch ich hatte erst den Anfang der Geschichte gelesen. Viel-
leicht hatte es um dieses »Orangenmädchen« wirklich ein Ge-
heimnis gegeben. Wenn nicht, hätte mein Vater doch wohl
kaum so viel über sie geschrieben. Er war krank, er wusste, dass
er vielleicht sterben müsste. Also musste das, was er schrieb, für
ihn sehr wichtig gewesen sein, und vielleicht war es das für
mich auch.

Ich trank den Rest meiner Cola und las weiter.

Würde ich das Orangenmädchen wohl jemals wieder sehen?
Vielleicht nicht, vielleicht lebte sie ja in einer ganz anderen
Stadt, vielleicht war sie nur zu einem kurzen Besuch in Oslo
gewesen.

Wenn ich in der Stadt unterwegs war und eine Bahn der Frognerlinie sah, hatte ich es mir zur Gewohnheit gemacht, alle Fenster abzusuchen, um festzustellen, ob das Orangenmädchen zu den Fahrgästen gehörte. Ich machte das immer wieder, aber ich sah sie nie. Meine Abendspaziergänge führten mich jetzt nach Frogner, und immer, wenn ich auf einer Straße etwas Gelbes oder Orangefarbenes sah, dachte ich, jetzt, jetzt sehe ich sie wieder. Aber so groß meine Erwartungen waren, die Enttäuschungen waren jedes Mal noch größer.

Die Tage und Wochen vergingen und eines Montagvormittags schaute ich in einem Café auf Karl Johan vorbei, es war eine Art Stammlokal für mich und ein paar meiner Kommilitonen. Kaum hatte ich die Tür geöffnet und das Lokal betreten, hielt ich auch schon inne und wich einen halben Schritt zurück. Denn dort saß das Orangenmädchen! Sie war noch nie hier gewesen, jedenfalls nicht gleichzeitig mit mir, aber jetzt saß sie mit einer Teetasse im Café und blätterte in einem Buch mit bunten Bildern. Eine unsichtbare Hand schien sie dort hingesetzt zu haben, um darauf zu warten, dass ich vorbeischaute, um sie zu treffen. Sie trug denselben verschlissenen Anorak, und jetzt hör zu, Georg, du wirst das vielleicht nicht glauben, aber auf ihrem Schoß, zwischen ihr und dem kleinen Cafétisch, war eine riesige, mit üppigen Orangen voll gestopfte Papiertüte eingeklemmt.

Ich fuhr zusammen. Das Orangenmädchen wieder zu sehen, im selben orangefarbenen Anorak mit genau der gleichen Orangentüte auf dem Schoß, kam mir so unwirklich vor wie eine Luftspiegelung. Von da an wurden die Orangen zum eigentlichen Kern des Rätsels, für das ich eine Erklärung finden musste. Was waren das überhaupt für Orangen? Für mich leuchteten die goldenen Orangensonnen so grell, dass ich mir gern die Augen gerieben hätte. Sie waren auf irgendeine Weise anders golden gelb als alle Orangen, die ich je gesehen hatte. Und ich glaubte sogar durch die Schale riechen zu können, wie saftig sie waren. Ganz normale Orangen waren das jedenfalls nicht!

Ich schlich mich fast ins Lokal und setzte mich zwei oder drei Meter von ihrem Tisch entfernt hin. Ehe ich über mein weiteres Vorgehen entschied, wollte ich sie nur ansehen und den Anblick des Unerklärlichen genießen.

Ich dachte, sie habe mich nicht bemerkt, aber plötzlich blickte sie von ihrem Buch auf und schaute mir voll in die Augen. Sie hatte mich auf frischer Tat ertappt, denn jetzt wusste sie, dass ich sie beobachtet hatte. Sie lächelte warm, und dieses Lächeln, Georg, hätte die ganze Welt zum Schmelzen bringen können, denn hätte die ganze Welt es gesehen, dann hätte es alle Kriege und alle Feindseligkeit auf dem Planeten mit einem Schlag beendet, auf jeden Fall hätte es für einen langen Waffenstillstand gesorgt.

Ich hatte keine Wahl mehr, ich musste Kontakt zu ihr aufnehmen. Langsam ging ich durch das Lokal und setzte mich an einen freien Stuhl an ihrem Tisch. Sie fand das offenbar ganz normal, obwohl ich mir aus irgendeinem Grund nicht sicher war, ob sie mich als den ungeschickten Menschen aus der Straßenbahn erkannt hatte.

Einige Sekunden lang sahen wir einander nur wortlos an. Sie schien nicht sofort mit mir reden zu wollen. Sie schaute mir lange in die Augen, sicher eine ganze Minute lang, und jetzt wich mein Blick nicht mehr aus. Mir fiel auf, dass ihre Pupillen zitterten. Ihre Augen schienen zu fragen: Erinnerst du dich an mich? Oder: Erinnerst du dich nicht an mich?

Es musste bald etwas gesagt werden, nur war ich so verwirrt, dass ich einfach sitzen blieb und daran dachte, wie wir als zwei übermütige Eichhörnchen ganz allein in einem kleinen Wald gelebt hatten. Sie hatte sich so gern vor mir versteckt, immer wieder hatte ich die Baumstämme auf und niederjagen müssen, um sie zu suchen, und wenn ich sie entdeckte, sprang sie nur von dem Ast, auf dem sie saß, in einen anderen Baum hinüber. Auf diese Weise tanzte ich immer hinter ihr her, bis ich eines Tages auf die Idee kam, mich selbst zu verstecken. Jetzt war sie es, die hinter mir herhüpfen musste, ich konnte oben in einem Baum sitzen oder unten im Moos, hinter einem alten Baumstumpf, und den Anblick genießen, wie sie ungeduldig nach mir suchte, vielleicht sogar mit einem Hauch von Angst, weil sie mich vielleicht nie wieder finden würde...

Plötzlich geschah etwas Märchenhaftes, ich meine nicht damals in der Urzeit im Nusswald, sondern hier und jetzt in einem Café, mitten auf Karl Johan.

Ich hatte den linken Arm auf den Tisch gelegt und plötzlich schob sie ihre rechte Hand in meine. Ihr Buch hatte sie auf die Orangen gelegt und mit dem linken Arm hielt sie noch immer die riesige Tüte fest, sie schien fast zu fürchten, ich könnte sie ihr wegnehmen oder auf den Boden schubsen.

Ich war jetzt nicht mehr so schrecklich verlegen. Ich merkte nur, wie eine warme, kühle Kraft durch ihre Finger und herüber in meine strömte. Ich dachte, bestimmt verfügt sie über irgendwelche übernatürlichen Fähigkeiten, und ich konnte mir schon denken, dass die auf irgendeine Weise mit Orangen zu tun hatten.

Rätsel, dachte ich, wunderbares Rätsel.

Bald konnte ich nicht mehr still sitzen, irgendwer muss doch etwas sagen, dachte ich, und vielleicht war das falsch von mir, vielleicht war es ein Verstoß gegen die Regeln dessen, was das Orangenmädchen repräsentierte. Wir schauten einander noch immer in die Augen und ich sagte: »Du bist ein Eichhörnchen.«

Als ich es gesagt hatte, lächelte sie hauchzart und streichelte zärtlich meine Hand. Dann ließ sie einfach los, erhob sich majestätisch, mit der großen Orangentüte im Arm, und ging hinaus auf die Straße. Ich sah, dass ihr Tränen in den Augen standen.

Ich war gelähmt. Ich war sprachlos. Noch vor wenigen Sekunden hatte mir das Orangenmädchen gegenübergesessen und meine Hand gehalten. Und jetzt war sie verschwunden. Wenn sie nicht die große Orangentüte gehalten hätte, hätte sie vielleicht gewinkt. Aber sie brauchte beide Arme, um die Tüte festzuhalten. Winken war also nicht möglich. Und sie weinte.

Ich aber lief nicht hinter ihr her, Georg. Auch das hätte gegen die Regeln verstoßen. Ich war einfach überwältigt, ich war erschöpft, ich war satt. Ich hatte etwas wunderschön Rätselhaftes erlebt, von dem ich noch viele Monate würde zehren können. Ich dachte, dass ich ihr ganz bestimmt wieder begegnen würde. Das alles lenkten mächtige, aber auch unergründliche Kräfte.

Sie war eine Fremde. Sie kam aus einem schöneren Märchen als unserem. Aber sie war in unsere Wirklichkeit gelangt, vielleicht, weil sie hier etwas Wichtiges zu erledigen hatte, vielleicht, weil sie uns vor etwas retten sollte, das manche als »grauen Alltag« bezeichnen. Bisher hatte ich von solchen Missionsversuchen nichts geahnt. Ich hatte geglaubt, es gebe nur ein Dasein und nur eine Wirklichkeit. Aber es gab jedenfalls zwei Arten von Menschen. Zur einen zählte das Orangenmädchen, zur anderen wir.

Aber warum hatten ihr Tränen in den Augen gestanden? Warum hatte sie geweint?

Ich weiß noch, dass ich dachte: Vielleicht ist sie eine Hellseherin. Denn warum sollte sie beim Anblick eines wildfremden Mannes in Tränen ausbrechen? Aber vielleicht hatte sie »gesehen«, dass ich eines Tages einem harten Schicksal zum Opfer fallen würde.

Es ist eine seltsame Vorstellung, dass ich mir damals solche Gedanken machen konnte. Ich habe mich immer leicht von meiner Fantasie mitreißen lassen. Aber dennoch war und bin ich ein rationaler Mensch.

An diesem Punkt in der Geschichte halte ich eine kurze Zusammenfassung für angebracht. Ich verspreche, dass das nicht zu oft passieren wird.

Ein junger Mann und eine ebenso junge Frau haben in der Straßenbahn einen flüchtigen Blickkontakt. Sie sind keine Kinder mehr, sind aber auch noch nicht richtig erwachsen und sie sind einander nie zuvor begegnet. Einige Minuten später glaubt der junge Mann, der jungen Frau werde gleich eine riesige Tüte voller saftiger Orangen herunterfallen. Er greift ein, mit der traurigen Folge, dass die Orangen tatsächlich auf den Boden fallen. Die junge Frau nennt ihn einen Weihnachtsmann und steigt an der nächsten Haltestelle aus, bittet um eine einzige armselige Orange und der junge Mann nickt verdutzt. Dann vergehen einige Wochen und sie begegnen sich in einem Café. Auch diesmal hat die junge Frau eine riesige, bis zum Bersten mit üppigen Orangen voll gestopfte Tüte auf den Knien. Der junge Mann setzt sich an ihren Tisch und eine ganze Minute lang sehen sie einander in die Augen. Es mag sich wie ein Klischee anhören, aber innerhalb dieser sechzig Sekunden sehen sie einander wirklich tief in die Augen, fast bis auf den Grund der Seele, er in ihre, sie in seine. Sie schiebt ihre Hand in seine, und er sagt, sie sei ein Eichhörnchen. Worauf sie sich mit einer graziösen Bewegung erhebt und mit der großen Tüte in den Armen aus dem Café gleitet. Der junge Mann sieht, dass sie Tränen in den Augen hat.

Zwischen den beiden haben bisher die folgenden Wortwechsel stattgefunden:

Sie: »Du Weihnachtsmann!« Sie: »Krieg ich auch eine Orange?« Er: »Verzeihung, Verzeihung.« Und er: »Du bist ein Eichhörnchen.«

Der Rest ist ein Stummfilm. Der Rest ist ein Rätsel.

Kannst du dieses Rätsel lösen, Georg? Ich konnte es nicht, und vielleicht lag das daran, dass ich selber ein Teil davon war.

Jetzt war ich wirklich hin und weg von dieser Geschichte. Zweimal hintereinander hatte sich das Orangenmädchen meinem Vater mit einer riesigen Orangentüte in den Armen ge-

zeigt. Das war geheimnisvoll. Und sie hatte wortlos seine Hand genommen und ihm tief in die Augen geschaut, um dann plötzlich aufzuspringen und weinend aus dem Lokal zu stürzen. Das war ein seltsames Benehmen. Es war bemerkenswert!

Falls mein Vater nicht einfach an Halluzinationen gelitten hatte!

Vielleicht war das Orangenmädchen eine Art »Trugbild«. Viele Menschen behaupten, das Ungeheuer von Loch Ness oder aus dem Seljordsvann gesehen zu haben, und ich bin mir nicht sicher, ob sie alle lügen, es kann sich genauso gut um Trugbilder handeln. Wenn mein Vater sich plötzlich darüber verbreitet hätte, wie das Orangenmädchen mit einem riesigen Hundeschlitten über Karl Johan sauste, hätte ich nicht mehr daran zweifeln können, dass diese Geschichte eigentlich davon handelte, wie mein Vater in einer kurzen Periode seines Lebens um ein Haar den Verstand verloren hatte. So etwas kommt in den besten Familien vor, und es gibt Medikamente, die dagegen helfen.

Ob es sich bei dem Orangenmädchen nun um ein Trugbild oder um einen Menschen aus Fleisch und Blut handelte, auf jeden Fall war klar, dass sie meinen Vater ungeheuer beschäftigt hatte. Doch als er dann die Möglichkeit hatte sie anzusprechen, war der Satz »Du bist ein Eichhörnchen« ja wohl reichlich hoffnungslos, fand ich. Er hatte ja auch klargestellt, wie verdutzt er selber angesichts dieses idiotischen Spruchs gewesen war. Warum in aller Welt hatte er gerade das gesagt? Ach nein, mein Vater, dieses Rätsel kann ich nicht lösen.

Ich will hier nicht den Besserwisser spielen. Ich gebe gern

als Erster zu, dass es nicht immer leicht ist, etwas zu einem Mädchen zu sagen, auf das man »ein Auge geworfen hat«, wie es heißt.

Ich habe schon erwähnt, dass ich Klavier spiele. Ich bin nicht gerade ein Superpianist, aber den ersten Satz von Beethovens Mondscheinsonate kann ich immerhin fehlerlos spielen. Wenn ich allein dasitze und den ersten Satz der Mondscheinsonate spiele, dann habe ich ab und zu das Gefühl, vor einem großen Flügel auf dem Mond zu sitzen, während der Mond und der Flügel und ich unserer Bahn um den Erdball folgen. Ich stelle mir vor, dass die Töne, die ich spiele, überall im ganzen Sonnensystem zu hören sind, und wenn nicht auf dem Pluto, dann auf jeden Fall auf dem Saturn.

Ich habe jetzt angefangen, den zweiten Satz zu üben (das Allegretto). *Er fällt mir nicht ganz so leicht, aber er klingt toll, wenn meine Klavierlehrerin ihn mir vorspielt. Ich muss dann immer an kleine mechanische Puppen denken, die in einem Einkaufszentrum die Treppen hoch und runter springen!*

Den dritten Satz der Mondscheinsonate werde ich mir schenken, nicht nur, weil er schwierig ist, ich finde es einfach scheußlich, ihn hören zu müssen. Der erste Satz (Adagio sostenuto) *ist schön und vielleicht ein wenig düster, der letzte dagegen* (Presto agitato) *ist direkt bedrohlich. Wenn ich mit einem Raumschiff auf einem anderen Planeten landen würde, wo ein armer Wicht den dritten Satz der Mondscheinsonate in den Flügel hämmert, dann würde ich sofort wieder davondüsen. Aber wenn dieser Wicht den ersten Satz spielen würde, würde ich vielleicht ein paar Tage bleiben, ich würde es jedenfalls wagen, ihn anzusprechen und mich genauer nach den*

Zuständen auf dem musikalischen Planeten erkundigen, auf dem ich da gelandet wäre.

Einmal habe ich zu meiner Klavierlehrerin gesagt, Beethoven habe sicher Hölle und Himmel zugleich in sich gehabt. Sie schaute mich aus großen Augen an. Und dann sagte sie, ich hätte es erfasst! Und erzählte mir etwas Interessantes. Nicht Beethoven selbst hat diese Sonate »Mondscheinsonate« genannt. Er nannte sie Sonate in cis-Moll, Opus 27, Nr. 2, mit dem Beinamen Sonata quasi una Fantasia, was einfach bedeutet: »Sonate, die fast eine Fantasie ist.« Meine Klavierlehrerin findet diese Sonate zu dramatisch für einen Namen wie »Mondscheinsonate«. Sie sagt, der ungarische Komponist Franz Liszt habe den zweiten Satz als »Blume zwischen zwei Abgründen« bezeichnet. Ich selbst würde von einem witzigen Puppentheater zwischen zwei Tragödien sprechen.

Ich habe geschrieben, dass ich mir gut vorstellen kann, wie schwer es ist, ein Mädchen anzusprechen, auf das man ein Auge geworfen hat. Und jetzt kommt ein echtes Geständnis, denn was das angeht, habe ich schon gewisse Erfahrungen gemacht, in der Musikschule.

Jeden Montag habe ich von sechs bis sieben Klavierunterricht. Zur selben Zeit hat ein Mädchen Geigenstunde, sie ist vielleicht ein oder zwei Jahre jünger als ich, und ich muss zugeben, dass ich tatsächlich ein Auge auf sie geworfen habe. Es kommt vor, dass wir fünf oder zehn Minuten zusammen im Vorzimmer warten müssen, bis unsere Stunden beginnen. Wir reden nur selten miteinander, aber vor ein paar Wochen hat sie gefragt, ob ich wüsste, wie spät es ist, und eine Woche später *fragte sie wieder. Und ich sagte, draußen gieße es wie aus Kübeln und ihr Geigenkasten sei nass geworden. Weiter sind wir nicht gekommen, das muss ich zugeben. Und da sie kein richtiges Gespräch mit mir anfängt, traue ich mich auch nicht. Vielleicht findet sie, dass ich aussehe wie eine Laus. Aber es wäre auch möglich, dass sie mich mag und dass sie nur genauso schüchtern ist wie ich. Ich habe keine Ahnung, wo sie wohnt, aber ich weiß, dass sie Isabelle heißt, ich habe auf der Liste der Geigenschülerinnen nachgesehen.*

Wir kommen jetzt immer früher zu den Musikstunden. Am vergangenen Montag mussten wir fast eine Viertelstunde warten. Aber wir sitzen einfach nur da. Und bleiben stumm wie die Fische. Dann werden wir in getrennte Räume gerufen. Es kommt vor, dass ich mir vorstelle, wie sie plötzlich ins Klavierzimmer hereinplatzt, während ich die Mondscheinsonate spiele, und dann ist sie so ergriffen, dass sie mich auf der Geige begleitet. Aber so weit wird es nie kommen, das hier ist eben mein Trugbild. Und der Grund, aus dem ich dieses Trugbild habe, ist, dass ich ihre Geige noch nie gesehen habe. Ich habe sie auch noch nie darauf spielen hören. Es wäre also durchaus möglich, dass sie in ihrem Geigenkasten in Wirklichkeit eine Blockflöte mit sich herumträgt. (Und dann heißt sie gar nicht Isabelle. Dann heißt sie nur Kari.)

Worauf ich ungefähr hinauswill, ist, dass ich nicht weiß, wie ich reagieren würde, wenn sie plötzlich meine Hand nehmen und mir tief in die Augen schauen würde. Ich weiß auch nicht, was ich machen würde, wenn sie in Tränen ausbräche. Ich überlege jetzt, dass ich nur vier Jahre jünger bin, als mein Vater damals war, als ihm das Orangenmädchen begegnete. Ich kann verstehen, dass das ein Schock für ihn war. »Du bist ein Eichhörnchen«, hat er gesagt.

Ich glaube, ich verstehe dich doch ziemlich gut, mein Vater. Also erzähl weiter.

Nach dieser kurzen Begegnung begann die logische und systematische Phase meiner Suche nach dem Orangenmädchen, denn wieder gingen viele lange Tage dahin, an denen ich keine Spur von ihr fand.

Ich brauche dir jetzt nicht alle meine Versuche und Misserfolge zu schildern, Georg, die Liste würde viel zu lang. Aber ich spekulierte und analysierte, und eines Tages kam mir folgender Gedanke: ich hatte das Orangenmädchen beide Male an einem Montag gesehen. Dass ich daran noch nicht gedacht hatte! Und dann waren da die Orangen, meine einzige wirkliche Spur. Woher kamen sie? Sicher wurden auch in den Lebensmittelläden in Frogner Orangen verkauft. Das schon, aber wie saftig und gut – und wie teuer – waren diese Orangen? Orangen, dachte ich, kauft man, wenn man richtig wählerisch ist, auf einem großen Obstmarkt, zum Beispiel auf dem Youngstorg, der damals der einzige große Obst- und Gemüsemarkt in Oslo war. Jedenfalls tut man das, wenn man täglich ein paar Kilo davon verputzt. Danach fährt man von der Storgate aus mit der Straßenbahn nach Hause, wenn man sich nicht so ohne weiteres ein Taxi leisten kann. Aber da war auch noch etwas anderes: die braune Papiertüte! In einem normalen Lebensmittelladen bekommt man eher eine Plastiktüte. Doch auf dem Youngstorg, überlegte ich, wurde da nicht alles in solche großen braunen Papiertüten gesteckt, wie das Orangenmädchen sie bei sich gehabt hatte?

Das war nur eine von vielen Theorien, aber drei Montage hintereinander ging ich von da an zum Youngstorg, um Obst und Gemüse zu kaufen. Als Student war es ohnehin ratsam, seine Ernährung zu verbessern, ich hatte in letzter Zeit einen argen Hang zu Grillwürstchen mit Krabbensalat entwickelt.

Das bunte Gewimmel auf dem Youngstorg brauche ich dir nicht zu beschreiben, Georg, du kannst ja einfach meinem Vorbild folgen. Und offene Augen haben für ein geheimnisvolles Mädchen im Anorak, das entweder vor einer Bude steht und um den Preis für eine Zehnkilotüte Orangen feilscht – oder du versuchst, dieselbe junge Dame zu entdecken, wie sie mit der schweren Tüte in den Armen den Markt verlässt. Alles andere kannst du vergessen, alle anderen, meine ich.

Aber kannst du sie sehen, Georg?

Ich wurde beim ersten und beim zweiten Mal enttäuscht, aber am dritten Montag entdeckte ich plötzlich eine orangefarbene Gestalt ganz hinten auf dem Markt, ganz sicher, ich sah eine junge Frau in einem alten Wanderanorak – und stand sie nicht gerade vor einem Obststand und legte Orangen in eine riesige Papiertüte?

Ich schlich mich über den Markt und befand mich bald wenige Meter hinter ihr. Hier kaufte sie also ein! Ich hatte das Gefühl, sie auf frischer Tat ertappt zu haben. Ich merkte, dass meine Knie zitterten, und ich hatte Angst davor, zu Boden zu sinken.

Das Orangenmädchen hatte die Tüte noch nicht gefüllt, und das lag daran, dass sie auf eine ganz andere Weise einkaufte als alle anderen. Stell dir vor: Ich konnte sehr lange zusehen, wie sie eine Orange nach der anderen hochhob und jedes Exemplar ausgiebig betrachtete, bevor sie es in die Tüte legte, oder zurück auf den Haufen, von dem es stammte. Ich begriff, warum sie sich nicht damit begnügte, in irgendeinem Laden in Frogner einzukaufen. Die junge Dame musste einfach eine riesige Auswahl an Orangen haben.

So große Ansprüche in Bezug auf Orangen hatte ich noch nie erlebt, und ich kam zu der Überzeugung, dass dieses Mädchen keine Orangen kaufte, um Saft zu pressen. Aber was machte sie sonst damit? Hast du eine Idee, Georg? Kannst du dir vorstellen, warum sie bis zu einer Minute brauchte, um zu entscheiden, ob sie die eine oder die andere Orange in die Tüte stecken sollte?

Ich hatte nur eine Erklärung dafür: Das Orangenmädchen war für die Küche in einem großen Kindergarten verantwortlich und dort bekam jeden Morgen jedes Kind eine Orange. Es ist eine bekannte Tatsache, dass die meisten Kinder über einen hoch entwickelten Gerechtigkeitssinn verfügen. Das Orangenmädchen musste also dafür sorgen, dass alle Orangen identisch waren, also gleich groß, gleich rund und gleich leuchtend orange. Und sie musste sie natürlich auch zählen.

Mir kam diese Theorie absolut überzeugend vor, und ich verspürte sogar einen Hauch von Angst, weil in dem Kindergarten vielleicht gleich mehrere attraktive Zivis arbeiteten. Aber Georg, aus zwei Metern Entfernung konnte ich bald erkennen, dass es hier um etwas ganz anderes ging. Es war leicht zu sehen, dass sich das Orangenmädchen große Mühe gab, um möglichst unterschiedliche Orangen zu finden, was deren Größe, Form und Farbe anging. Und noch ein Detail war wichtig: an einigen Orangen hingen noch die Blätter des Orangenbaums.

Es war eine Erleichterung, nicht mehr an die zudringlichen Zivis denken zu müssen. Aber das war auch alles, worüber ich mich freuen konnte. Sie war und blieb ein Rätsel.

Dann war die Tüte voll, das Orangenmädchen bezahlte und ging in Richtung Storgate weiter. Ich folgte ihr in einiger Entfernung, denn ich wollte mich erst in der Straßenbahn nach Frogner zu erkennen geben. Aber ausgerechnet in diesem entscheidenden Punkt hatte ich mich geirrt. Sie ging nämlich gar nicht in die Storgate, um die Straßenbahn zu nehmen. Unmittelbar vor der Haltestelle stieg sie in ein weißes Auto, einen Toyota, und am Steuer saß ein Mann.

Ich hatte das Gefühl, dass ich jetzt nicht zu ihr hinstürzen könnte. Ich wollte diesen Mann nicht kennen lernen. Und dann setzte das Auto sich in Bewegung, bog um die Ecke und war verschwunden.

Ein wichtiges Detail kannst du dir aber merken, Georg: Als das Orangenmädchen mit der riesigen Tüte in den Armen ins Auto steigt, dreht sie sich plötzlich um und sieht mich an. Ob sie mich wieder erkennt oder nicht, weiß ich nicht sicher. Ich weiß nur bestimmt, dass sie zu einem Mann in einen weißen Toyota steigt und dass sie mich dabei ansieht.

Wer war dieser glückliche Mann? Ich hatte nicht feststellen können, wie alt er war, er konnte also auch ihr Vater sein, aber eben auch… na ja, was wusste ich denn schon. Ein Zivi?

Wohl kaum, wo er einen weißen Toyota fuhr. Oder war er der junge Vater des vier Monate alten Mädchens namens Ranveig? Nicht unbedingt, nichts sprach dafür. Da war es ebenso wahrscheinlich, dass der Mann im Toyota mit dem Orangenmädchen Grönland auf Skiern durchqueren wollte. Von dem Mann hatte ich mir längst ein Bild gemacht. In langen Bilderfolgen konnte ich die Orangenrationen vor mir sehen, die Eisäxte, die Skalpelle, die Schlafsäcke, den Primuskocher und die Suppenwürfel. Ich sah das Zelt, in dem sie schlafen würden, es war gelb, und ihr Gespann hatte zweifellos acht Hunde.

Natürlich konnte ich sie vor mir sehen. Sie sollten sich ja nicht einbilden, sich vor mir verstecken zu können. Ich hatte einen ganzen Film im Kopf: Ein ungleiches Paar wandert auf Skiern über das endlose grönländische Eis. Sie ist schön und unschuldig wie eine Schneegöttin. Das kann man von ihm nicht sagen, er hat eine schiefe Nase, einen bitteren Zug um den Mund und einen von bösen Absichten kündenden Blick, so abgründig tief wie die Gletscherspalten, in die sie jeden Moment fallen kann. (Wird er ihr dann wieder heraushelfen? Oder wird er auf eigene Faust weitereilen und sich an ihren Orangenrationen gütlich tun, in dem sicheren Wissen, dass er sie niemals wieder sehen wird?) Er besitzt Männerkraft, eine primitive und unschöne Kraft. Er erschießt Eisbären so achtlos, wie andere Mücken erschlagen. Und wo wir schon bei dem Thema sind: Er ist durchaus im Stande, sie zwischen den Eisblöcken zu vergewaltigen, weit weg von der ordnenden Hand der Zivilisation. Denn wer sieht sie hier? Wer behält sie dort draußen im Auge? Das kann ich dir sagen, Georg. Außer mir tut das niemand. Ich konnte mir ein immer schärferes Bild von der ganzen Expedition machen. Ich hatte den totalen Überblick über alles, was sie mitnehmen mussten. Noch vor dem Abend hatte ich allen acht Hunden einen Namen gegeben, und später am Abend hatte ich eine vollständige Liste des Proviants aufgestellt, den sie brauchen würden. Insgesamt wog ihre Ausrüstung 240 Kilo, eine kleine Flasche Shampoo und ein Fläschchen Schnaps mitgerechnet, das sie trinken könnten, wenn sie in Siorapaluk oder Qaanaag eintrafen ...

Doch schon am nächsten Morgen hatten meine Nerven sich beruhigt. Im Dezember durchquert kein Mensch Grönland auf Skiern. Im Dezember steuern solche Expeditionen die Antarktis an, und dann kauft man keine Orangen auf einem Obstmarkt in Oslo, sondern erledigt das in Chile oder Südafrika. Es steht nicht einmal fest, ob man überhaupt Orangen mitnimmt. Wer auf Skiern zum Südpol will, braucht so viele Kalorien pro Tag, dass eine zusätzliche Vitaminzufuhr kaum nötig ist. Orangen wiegen überdies zu viel und vor allem: Wie kann man mit dicken Polarhandschuhen an den Händen eine gefrorene Orange verzehren? Als Flüssigkeitsspenderinnen auf einer Polfahrt sind Orangen so unbrauchbar wie seinerzeit Scotts Pferde. Für das nötige Quantum Flüssigkeit braucht man dort nur ein paar Tropfen Benzin und einen Primuskocher. Eis und Schnee, also Wasser, ist das Einzige, wovon es dort mehr als genug gibt, und eine Orange besteht zu über achtzig Prozent aus Wasser.

Liebes kleines Orangenmädchen, dachte ich. Wer bist du? Woher kommst du? Wo bist du jetzt?

Mama war wieder an die Tür gekommen. »Wie sieht es aus, Georg?«, hatte sie gefragt.

»Gut«, sagte ich. »Aber hör jetzt auf zu nerven.«

Sie schwieg zwei Sekunden, dann sagte sie: »Ich finde es nicht richtig, dass du dich eingeschlossen hast.«

Ich sagte: »Und wozu hat man einen Schlüssel in der Tür, wenn man den nicht ab und zu benutzen darf? Es gibt ja immer noch etwas, das Privatleben heißt.«

Sie ärgerte sich ein wenig. Oder vielleicht sollte ich lieber sagen, dass sie beleidigt war. Sie erklärte: »Jetzt bist du kindisch, Georg. Du hast keinen Grund, dich einzuschließen.«

»Ich bin fünfzehn, Mama. Und wenn hier jemand kindisch ist, dann nicht ich.«

Sie atmete schwer. Dann wurde alles still.

Ich sagte natürlich nichts über das Orangenmädchen. Ich hatte nämlich sehr stark das Gefühl, dass mein Vater das, was er mir hier anvertraute, meiner Mutter nie erzählt hatte. Denn dann hätte doch sie mir davon berichten können, und mein Vater hätte seine allerletzte Zeit auf dieser Welt nicht diesem langen Brief widmen müssen. Vielleicht hatte er in seiner Jugend etwas erlebt, vor dem er seinen Sohn jetzt warnen wollte, von Mann zu Mann sozusagen. Auf jeden Fall gab es etwas Wichtiges, wonach er mich fragen wollte.

Bisher hatte er mich allerdings nur nach dem Hubble-Teleskop gefragt. Schade, dass er nicht wissen konnte, wie viel ich gerade darüber wusste!

Das Seltsamste an dieser Hausaufgabe war, dass mein Lehrer mich dazu gezwungen hatte, sie der ganzen Klasse vorzulesen. Ich musste auch die Bilder zeigen. Der Lehrer hatte es gut gemeint, aber schon in der nächsten Pause wurde ich von einigen Mädchen »Mini-Einstein« genannt. Und zwar zufälligerweise gerade von den Mädchen, die am allereifrigsten mit Wimperntusche und Lippenstift experimentieren. Ich glaube, sie experimentieren auch mit allerlei anderen Dingen.

Ich habe nichts gegen Lidschatten und Wimperntusche. Aber wir befinden uns nun mal auf einem Planeten im Weltraum. Und das ist doch eine wahnwitzige Vorstellung! Es ist wahnwitzig zu denken, dass es überhaupt einen Weltraum gibt. Aber es gibt Mädchen, die vor lauter Wimperntusche diesen Weltraum nicht sehen können. Und es gibt sicher auch Jungen, die vor lauter Fußball keinen Blick über den Horizont werfen können. Es besteht jedenfalls ein ziemlicher Unterschied zwischen einem Schminkspiegel und einem brauchbaren Teleskop. Ich glaube, das ist das, was man »Perspektivenverschiebung« nennt. Vielleicht könnten wir auch von einem »Aha-Erlebnis« sprechen. Es ist nie zu spät für ein Aha-Erlebnis. Aber viele Menschen leben ihr ganzes Leben ohne die Erkenntnis, dass sie im leeren Raum schweben. Hier unten gibt es zu viel, was nur beschwert. Es reicht, sich zu überlegen, wie man aussieht.

Wir gehören auf diesen Planeten. Das will ich gar nicht infrage stellen. Wir sind ein Teil der Natur dieses Planeten. Hier haben wir von Affen und Kriechtieren gelernt, uns zu vermehren, und dagegen habe ich keine Einwände. In einer anderen Natur wäre das alles vielleicht ganz anders, aber wir sind hier. Und ich wiederhole: Das will ich alles gar nicht infrage stellen. Ich meine nur, dass uns das nicht daran hindern sollte, etwas weiter zu blicken als bis zu unserer eigenen Nasenspitze.

»Tele-skop« bedeutet ungefähr, das zu sehen, was weit entfernt ist. Aber konnte diese Geschichte über ein »Orangenmädchen« wirklich etwas mit einem Weltraumteleskop zu tun haben?

Das Teleskop wurde im Weltraum nicht untergebracht, um den Sternen und Planeten näherzukommen, die dort beobachtet werden sollten. Das wäre ungefähr so unsinnig, wie sich auf Zehenspitzen zu stellen, um sich einen besseren Überblick über die Mondkrater zu verschaffen. Es geht beim Weltraumteleskop darum, den Weltraum von einem außerhalb der Erdatmosphäre gelegenen Punkt aus zu betrachten.

Viele Menschen glauben, dass die Sterne am Himmel blinken, aber das tun sie überhaupt nicht. Es liegt nur an der unsteten Atmosphäre, dass dieser Eindruck entsteht, das ist so, wie eine bewegte Wasseroberfläche den Eindruck erwecken kann, dass die Steine auf dem Seeboden verschwimmen oder wackeln. Oder umgekehrt: vom Grund eines Schwimmbeckens sehen wir nicht immer so genau, was sich oben am Beckenrand bewegt.

Es gibt auf der Erde kein Teleskop, das uns wirklich scharfe Bilder des Weltraums liefern könnte. Das kann nur das Hubble Space Telescope. Und deshalb kann es uns mehr darüber erzählen, was es dort draußen gibt, als die Teleskope auf der Erde.

Viele Menschen sind so kurzsichtig, dass sie ein Pferd nicht von einer Kuh und ein Nilpferd nicht von einer Kobra unterscheiden können. Solche Menschen brauchen eine Brille.

Ich habe schon erwähnt, dass am Hauptspiegel des Hubble-Teleskops ein ernsthafter Fehler entdeckt wurde und dass die

Mannschaft der Endeavour diesen Defekt im Dezember 1993 repariert hat. Aber eigentlich haben sie an dem Spiegel nichts verändert. Sie haben ihm nur eine Brille aufgesetzt. Diese Brille besteht aus zehn kleinen Spiegeln und wird COSTAR *genannt, das ist die Abkürzung für* Corrective Optics Space Telescope Axial Replacement.

Nein, ich konnte noch immer nicht begreifen, was das Weltraumteleskop mit einem Orangenmädchen zu tun haben sollte. Inzwischen weiß ich es, also jetzt, beim Schreiben, weil ich den Brief, den mein Vater mir in den Wochen vor seinem Tod geschrieben hat, natürlich längst zu Ende gelesen habe. Ich habe ihn nicht weniger als viermal gelesen, aber natürlich will ich nicht zu viel verraten.

Erzähl nur, mein Vater! Erzähl es allen, die jetzt dieses Buch lesen.

Das nächste Mal sah ich das Orangenmädchen am Heiligen Abend, ja, genau am Heiligen Abend, stell dir vor. Und diesmal redete ich dann richtig mit ihr. Oder na ja, wir wechselten immerhin einige Worte.

Ich lebte damals in einer kleinen Wohnung in Adamstuen, zusammen mit einem Kommilitonen namens Gunnar. Aber den Heiligen Abend wollte ich mit meiner Familie im Humlevei verbringen. Die Familie bestand nur aus meinen Eltern und meinem Bruder, deinem Onkel Einar. Einar ist vier Jahre jünger als ich und ging damals in die letzte Klasse der Mittelstufe. Es war viele Jahre, ehe Oma und Opa nach Tønsberg umgezogen sind.

Ich hatte die Hoffnung, das Orangenmädchen noch einmal

zu sehen, fast aufgegeben, ich machte mir außerdem sehr unangenehme Gedanken über diesen Typen in dem weißen Toyota. Und dann kam ich plötzlich auf die Idee, ausnahmsweise einmal einen Weihnachtsgottesdienst zu besuchen, ehe ich in den Humlevei nach Hause fuhr. Ich war noch immer so berauscht von dieser geheimnisvollen Frau, dass ich mir einfach in den Kopf setzte, dass auch sie einen Gottesdienst besuchen würde, ehe sie sich zur Weihnachtsfeier mit den anderen traf. (Wer waren diese anderen? Ja, wer konnten sie sein?) Ich kam zu dem Schluss, dass es am wahrscheinlichsten war, dass ich sie im Dom finden könnte, oder dass das am wenigsten unwahrscheinlich war, um genauer zu sein.

Jetzt muss ich sicherheitshalber betonen, dass nichts von all dem, was ich über das Orangenmädchen erzähle, ausgedacht ist, um die Geschichte auszuschmücken. Gespenster lügen nicht, Georg, das bringt ihnen nichts. Aber andererseits: Ich erzähle auch nicht alles. Wer hätte jemals versucht, etwas dermaßen Sinnloses zu tun?

Ich brauche mich nicht über alle meine erfolglosen Versuche zu verbreiten, das Orangenmädchen wieder zu sehen. Ich verbrachte Tage und Wochen damit, ganz Frogner abzusuchen, doch damit will ich mich jetzt nicht aufhalten, es käme eine viel zu lange und umständliche Geschichte dabei heraus. Mindestens vier Tage in der Woche machte ich lange Spaziergänge durch den Frognerpark, und nicht selten glaubte ich sie entdeckt zu haben, auf der großen Brücke, vor dem Parkcafé oder oben beim Monolith, aber sie war es nie. Ich ging sogar ins Kino in der Hoffnung, sie zu finden. Oft schaute ich mir dabei nicht einmal den Film an. Wenn das Orangenmädchen bis zum Ende der Werbung noch nicht aufgetaucht war, ging ich bisweilen wieder hinaus und manchmal kaufte ich mir sogar eine Karte für einen anderen Film. Ich achtete genau auf Filme, die ihr meiner Ansicht nach gefallen müssten, einer hieß »Der Wendepunkt«, ein anderer war der Schweizer Film »Die Spitzenklöpplerin«. Wie gesagt, auf all das will ich hier nicht weiter eingehen.

In diesem Bericht gibt es nur einen roten Faden, Georg, nämlich die Male, in denen ich dem geheimnisvollen Orangenmädchen wirklich begegnet bin. Es bringt nichts, mich über die vielen Male zu verbreiten, bei denen mir das nicht gelang. Es hätte ja auch keinen Sinn, von all den Lottozetteln zu erzählen, auf denen nicht sechs Richtige angekreuzt sind. Hast du je so eine Geschichte gehört? Wann hast du in einer Zeitung oder einer Illustrierten zuletzt einen Bericht über jemanden gelesen, der kein Lottomillionär geworden ist? Genauso verhält es sich auch mit dieser Geschichte. Die Geschichte des Orangenmädchens ist wie die Geschichte einer gigantischen Lotterie, bei der nur die Gewinnerlose sichtbar sind. Denk nur an die vielen Lottozettel, die im Laufe einer Woche ausgefüllt werden. Und versuch dann, sie dir in einem großen Raum vorzustellen, vielleicht brauchst du eine ganze Turnhalle. Und dann werden mit einem eleganten Zaubertrick alle Zettel, die keine Million gewinnen, weggezaubert. Worauf in der großen Turnhalle nicht mehr viele Lottozettel liegen bleiben, Georg. Aber in den Zeitungen werden nur die erwähnt!

Wir sind also dem Orangenmädchen auf der Spur, wir haben uns an ihre Fersen geheftet, in dieser Geschichte geht es nur um sie. Alles andere können wir deshalb bis auf weiteres vergessen. Wir streichen alle anderen Menschen in dieser Stadt durch. Wir setzen alle anderen Frauen in eine große Klammer. So einfach ist das.

Ich sehe sie nicht sofort, als ich den Dom betrete, aber dann entdecke ich sie plötzlich, während die Orgel ein Präludium von Bach spielt. Ich erstarre zu Eis, mir wird heiß.

Das Orangenmädchen sitzt auf der anderen Seite des Mittelgangs, es kann nur sie sein, und während des Gottesdienstes dreht sie sich einmal um und wirft einen Blick auf den Chor, der ein Weihnachtslied singt. An diesem Tag trägt sie nicht den orangefarbenen Wanderanorak, sie hat auch keine große Orangentüte auf dem Schoß. Es ist schließlich Weihnachten. Sie trägt einen schwarzen Mantel und hat ihre Haare im Nacken mit einer kräftigen Spange zusammengefasst, die vielleicht aus Silber ist; vielleicht wurde sie von den sieben Zwergen geschmiedet, die einst Schneewittchen das Leben gerettet haben.

Aber mit wem ist sie hier? Rechts von ihr sitzt ein Mann, aber während des gesamten Gottesdienstes beugen sie sich nicht einmal zueinander hin. Im Gegenteil, gegen Ende sehe ich, wie der Mann auf der rechten Seite des Orangenmädchens sich zu einer anderen Frau hinbeugt, die ihrerseits rechts von ihm sitzt, und wie er ihr etwas ins Ohr flüstert. In meiner Erinnerung ist das eine schöne Bewegung. Ein Mann kann sich natürlich nach rechts und nach links beugen, auch dieser Mann, das ist ausschließlich seine Sache, aber er beugt sich eben nach rechts, und damit, wenn du so willst, in die richtige Richtung. Ich habe allerdings das Gefühl, dass ich es bin, der seine Bewegung lenkt.

Links vom Orangenmädchen sitzt eine rundliche alte Dame, und nichts lässt darauf schließen, dass sie und das Orangenmädchen einander kennen, aber sie können sich durchaus einmal auf dem Youngstorg über den Weg gelaufen sein, denn die alte Dame sieht einwandfrei wie eine Marktfrau aus, vielleicht macht es den beiden deshalb Spaß, zusammen den Weihnachtsgottesdienst zu besuchen. Warum auch nicht, Georg? Nein, warum sollten sie nicht? Das Orangenmädchen ist bestimmt die beste Kundin der Marktfrau, jedenfalls, was Orangen angeht. Deshalb bekommt sie natürlich auch einen angemessenen Rabatt. Sieben Kronen das Kilo für marokkanische Orangen, durchaus kein geringer Preis, aber das Orangenmädchen bekommt sie für 6,50 – obwohl sie fast eine halbe Stunde braucht, um die Tüte mit einer repräsentativen Auswahl der verschiedenen Exemplare zu füllen.

Ich bekomme fast nichts von dem mit, was der Pastor erzählt, aber sicher redet er über Maria, Josef und das Jesuskind, alles andere wäre auch unangemessen. Er spricht zu den Kindern, das gefällt mir, heute ist ihr Tag. Trotzdem warte ich nur darauf, dass der Gottesdienst zu Ende geht. Dann ertönt das Postludium, die Gemeinde erhebt sich von den Bänken, und ich muss dafür sorgen, dass das Orangenmädchen vor mir die Kirche verlässt. Sie kommt an meiner Bank vorbei. Sie bewegt den Kopf ein wenig, ich kann nicht sagen, ob sie mich bemerkt hat. Aber sie ist allein. Und sie ist noch schöner als in meiner Erinnerung. Aller Weihnachtsglanz kann sich in einer einzigen Frau gesammelt haben.

Ha! Nur ich weiß, dass diese junge Dame ein waschechtes Orangenmädchen ist, das außerdem jede Menge verlockender Geheimnisse besitzt. Ich weiß, dass sie aus einem anderen Märchen mit ganz anderen Regeln kommt als denen, die hier gelten. Ich weiß, dass sie eine Spionin in unserer Wirklichkeit ist. Aber hier im Dom ist sie wie eine von uns und freut sich mit uns darüber, dass *unser* Erlöser geboren ist. Das ist nicht schlecht, ich finde es großzügig von ihr.

Ich gehe dicht hinter ihr her. Vor der Kirche bleiben einige Menschen stehen und wünschen einander gesegnete Weihnachten, aber ich richte meinen Blick auf die magische Silberspange im Nacken des Orangenmädchens. Auf der ganzen Welt gibt es nur ein Orangenmädchen, und auch das nur, weil sie aus der anderen Wirklichkeit hergekommen ist. Sie geht in Richtung Grensen und ich folge ihr in einer Entfernung von wenigen Metern. Es schneit, gefrorene Flocken tanzen durch die Luft. Das sehe ich nur, weil die feuchten Schneefetzen sich auf die dunklen Haare des Orangenmädchens legen. Jetzt werden ihre Haare nass, denke ich, hätte ich doch einen Regenschirm, oder wenigstens eine Zeitung, um ihren Kopf zu bedecken!

Das ist Irrsinn, ich weiß, so viel Selbsterkenntnis habe ich ja. Aber es ist Heiligabend. Und wenn die Zeit der Wunder auch vorbei ist, so ist das doch ein magischer Tag, an dem alles möglich ist. Alles. Hirten werden kundgemacht durch der Engel Halleluja und Orangenmädchen wandern wie selbstverständlich durch die Straßen.

Kurz vor der Øvre Slottsgate hole ich sie ein. Ich gehe einen

Schritt an ihr vorbei, drehe mich um und sage fröhlich: »Gesegnete Weihnachten!«

Sie wirkt überrumpelt, oder vielleicht tut sie auch nur so, ich weiß es nicht. Sie lächelt vage. Sie sieht nicht aus wie eine Spionin. Sie sieht aus wie ein Mädchen, das ich um jeden Preis besser kennen lernen möchte. Sie sagt: »Gesegnete Weihnachten.«

Jetzt lächelt sie richtig. Wir gehen weiter. Ich glaube nicht, dass sie etwas dagegen hat, neben mir herzugehen. Ich bin mir nicht ganz sicher, aber ich glaube, es gefällt ihr. Ich sehe die Umrisse von zwei Orangen, die sie in ihrem schwarzen Mantel versteckt hat. Sie sind genau gleich groß und rund. Sie machen mich nervös. Runde Formen regen mich seit neuestem überhaupt schrecklich auf.

Ich habe das Gefühl, dass ich noch mehr sagen müsste; wenn nicht, muss ich an ihr vorbeigehen und vorgeben, keine Zeit zu haben. Aber ich hatte in meinem ganzen Leben noch nicht so viel Zeit. Ich befinde mich an der Quelle der Zeit, ich bin am Ziel und Zweck aller Zeiten gestrandet. Ich muss an eine Zeile des dänischen Dichters Piet Hein denken: *Wer nie jetzt lebt, lebt nie. Was machen Sie?*

Ich lebe jetzt, und es wurde auch Zeit, denn bisher habe ich noch nie gelebt. Etwas in mir jubelt. Und ohne nachzudenken frage ich: »Du bist also nicht unterwegs nach Grönland?«

Das war ein blöder Spruch. Sie kneift die Augen zusammen. »Da wohne ich doch gar nicht«, sagt sie.

Jetzt fällt mir ein, dass Oslo einen Stadtteil namens Grønland hat. Das ist mir schrecklich peinlich, aber ich finde es besser, auf dem einmal eingeschlagenen Weg zu bleiben. Ich sage: »Ich meine, unterwegs ins grönländische Eis. Mit acht Hunden vor dem Schlitten und zehn Kilo Orangen.«

Lächelt sie oder lächelt sie nicht?

Erst in diesem Moment geht mir auf, dass sie sich aus der Straßenbahn nach Frogner vielleicht gar nicht an mich erinnert. Das ist eine Enttäuschung, ich habe das Gefühl, den festen Boden unter den Füßen zu verlieren, aber es ist auch eine Erleichterung. Es ist trotz allem gut zwei Monate her, dass ich die große Orangentüte zum Umkippen gebracht habe, vorher waren wir einander noch nie begegnet und die ganze Szene hatte nur ein paar Sekunden gedauert.

Aber aus dem Café auf Karl Johan muss sie sich an mich erinnern. Oder hat sie die Angewohnheit, fremden Männern in Cafés die Hand zu streicheln? Das ist eine unangenehme Vorstellung. Und nicht gerade schmeichelhaft für sie. Auch ein echtes Orangenmädchen darf Wohltaten nicht wahllos verteilen.

»Orangen?«, fragt sie und lächelt mit fast südlicher Wärme, wie ein Schirokko aus der Sahara.

»Genau«, sagte ich, »genug für eine Wanderung quer durch Grönland, zu zweit.«

Sie ist stehen geblieben. Ich weiß nicht, ob sie das Gespräch fortsetzen möchte. Ich weiß nicht, ob sie glaubt, ich wolle sie zu einer gefährlichen Skitour durch Grönland einladen. Aber jetzt schaut sie wieder zu mir auf, ihre dunklen Augen huschen zwischen meinen hin und her und sie fragt: »Du bist das doch, nicht wahr?«

Ich nicke, obwohl ich nicht so genau wissen kann, was sie da eigentlich fragt, denn ich kann unmöglich der Einzige sein, der sie mit den Armen voller Orangen gesehen hat. Doch dann fügt sie hinzu – als hätte sie sich selbst an etwas erinnert: »Du hast mich doch in der Bahn nach Frogner angerempelt, oder nicht?«

Ich nicke.

»Du warst wirklich der absolute Weihnachtsmann.«

Ich sage: »Und dieser Weihnachtsmann möchte sich gern für alle verlorenen Orangen entschuldigen.«

Sie lacht herzlich, als wäre sie auf diese Idee nun wirklich noch nicht gekommen. Sie legt den Kopf schräg und sagt: »Vergiss es. Du warst einfach niedlich!«

Entschuldige, dass ich kurz unterbreche, Georg, aber ich muss dich wieder fragen, ob du mir beim Lösen eines Rätsels helfen kannst. Denn du siehst doch sicher selbst, dass hier etwas nicht stimmt. Das Orangenmädchen hatte mich schon auf der unseligen Straßenbahnfahrt herausfordernd angesehen, fast besitzergreifend. Sie schien sich von allen Menschen in der überfüllten Bahn mich ausgesucht zu haben, man könnte auch sagen, von allen Menschen auf der Welt. Dann hatte sie mich nur eine Woche später an ihrem Cafétisch Platz nehmen lassen. Sie war eine ganze Minute sitzen geblieben und hatte mir in die Augen geschaut, dann hatte sie ihre Hand in meine gelegt. In dieser Hand hatte ein ganzer Hexentrank aus wunderschönen Gefühlen gebrodelt. Und dann laufen wir einander einige Minuten, ehe Weihnachten eingeläutet wird, wieder über den Weg. Und dann kann sie sich nicht an mich erinnern?

Wir dürfen natürlich nicht vergessen, dass sie aus einem

ganz anderen Märchen als unserem stammt, also aus einem, in dem ganz andere Regeln gelten als hier. Denn es gab zwei parallele Wirklichkeiten, die eine mit Sonne und Mond, die andere war das unergründliche Märchen, zu dem das Orangenmädchen plötzlich die Türen öffnete. Und trotzdem, Georg, gab es nur zwei Möglichkeiten: Natürlich konnte sie sich von beiden Episoden her nur zu gut an mich erinnern, vielleicht auch vom Youngstorg, aber sie wollte sich das nicht anmerken lassen, sie gab vor, mich nicht zu erkennen. Das war die eine Möglichkeit. Die andere war noch beunruhigender. Hör doch nur: Das arme Mädchen war nicht ganz gesund, sie war nicht ganz richtig im Kopf, wie man sagt. Sie hatte jedenfalls ernsthafte Erinnerungsprobleme. Vielleicht konnte sie sich an überhaupt nichts erinnern, möglicherweise ist das ein typisches Eichhörnchenproblem. Ein Eichhörnchen ist einfach nur auf der Welt, mal hier, mal da. »Wer nie jetzt lebt, lebt nie. Was machen Sie?« Das übermütige Lebensspiel bietet keinen Raum für Erinnerung und Nachhall, es hat mit sich selbst schon genug zu tun. So war die Regel in dem Märchen, aus dem das Orangenmädchen stammte. Und jetzt fiel mir außerdem der Name dieses Märchens ein. Es hieß *Komm-in-meinen-Traum*.

Andererseits, Georg: seither habe ich mir natürlich überlegen müssen, wie ich womöglich auf sie gewirkt habe. Auch ich hatte ihre Hand gehalten und ihr tief in die Augen geschaut. Und was tue ich, als wir uns nach dem Weihnachtsgottesdienst im Dom über den Weg laufen? Ich sage »Gesegnete Weihnachten«, wie sich das gehört, aber ich sage nicht: »Lange nicht mehr gesehen.« Nichts da, ich frage, ob sie nicht unterwegs nach Grönland ist. Ins grönländische Eis, meine ich, mit acht Hunden vor dem Schlitten und zehn Kilo Orangen. Was musste das Orangenmädchen da von mir denken! Vielleicht hielt sie mich für schizophren.

Wir redeten jedenfalls aneinander vorbei. Wir spielten ein kompliziertes Ballspiel, in dem es viel zu viele Regeln gab. Wir warfen und warfen, aber kein einziger Ball traf ins Ziel.

Und jetzt, Georg, kommt plötzlich von der Akersgate her ein freies Taxi. Das Orangenmädchen streckt den rechten Arm aus, der Wagen hält, sie läuft darauf zu ...

Ich muss an Aschenbrödel denken, die vor Mitternacht den Ball im Schloss verlassen muss, weil dann der Zauber ein Ende hat. Ich denke an den Prinzen, der danach allein auf dem Schlossbalkon steht, verlassen, verlassen.

Doch damit hätte ich rechnen müssen. Natürlich musste das Orangenmädchen zu Hause sein, wenn Weihnachten eingeläutet wurde. *Denn das verlangten die Regeln.* Orangenmädchen schwirren nicht mehr durch die Straßen, wenn Weihnachten eingeläutet worden ist. Was sollte sonst der Sinn des Läutens sein? Sollen die Kirchenglocken nicht verhindern, dass junge Männer von Orangenmädchen verhext werden? Es war fast fünf und ich würde bald allein an diesem gottverlassenen Ende der Øvre Slottsgate stehen.

Ich überlegte rasch. Mir blieb nur eine Sekunde, um etwas zu sagen oder zu tun, was dafür sorgte, dass mich das Orangenmädchen niemals vergessen konnte.

Ich könnte nach ihrer Adresse fragen. Ich könnte fragen,

ob wir in dieselbe Richtung wollten. Oder ich könnte ganz schnell hundert Kronen für die zehn Kilo Orangen hinblättern, inklusive dreißig Kronen für erlittenes Unrecht, ich konnte ja nicht wissen, ob sie wirklich Rabatt bekam. Um meine Neugier zu befriedigen, könnte ich zumindest fragen, warum sie immer wieder solche Mengen Orangen hamsterte. Nicht, dass es so außergewöhnlich wäre, Lebensmittel zu hamstern. Aber warum gerade Orangen? Warum nicht Äpfel oder Bananen?

Innerhalb dieser einen Sekunde denke ich wieder an die Wanderung durch das grönländische Eis, an die große Familie in Frogner, an das Semesterabschlussfest, auf dem eimerweise Orangenpudding serviert wird – und an das kleine Kind, die kleine Ranveig, die gerade in den Armen eines muskulösen Papas liegt, der erst vor zwei Wochen sein Examen in BWL abgelegt hat und vor einem Monat zum Vorsitzenden des Jungmännerclubs »Fesch und nett« gewählt worden ist. Ich glaube nicht, dass ich es diesmal über mich bringe, bei dem lärmenden Kindergarten vorbeizuschauen. Kinder machen mich nervös.

Aber ich kann die richtigen Worte nicht finden, Georg, die Auswahl ist viel zu groß. Deshalb rufe ich, als sie in den Wagen steigt, einfach nur: »Ich glaube, ich liebe dich!«

Das stimmte zwar, aber ich bereute es, sowie ich es gesagt hatte.

Jetzt fährt das Taxi los. Aber das Orangenmädchen ist doch nicht eingestiegen. Sie hat sich die Sache anders überlegt. Langsam kommt sie wieder auf mich zu, elegant getragen von ihrem eigenen Gewicht und Willen, legt ihre Hand in meine – ungefähr so, als hätten wir in den letzten fünf Jahren nur selten etwas anderes getan, als einander an den Händen zu halten – und nickt, zum Zeichen, dass wir weitergehen sollen. Dann schaut sie zu mir hoch und sagt: »Wenn noch ein Taxi kommt, muss ich es nehmen. Ich werde erwartet.«

Ja, klar, von einem Supermann und einem kleinen Wonneproppen von Baby, denke ich. Oder von einer Mutter und einem Vater, der Vater ist sicher Pastor – und vielleicht hat er eben den Gottesdienst gehalten –, dazu gibt es vier Schwestern und zwei Brüder, und jetzt lebt außerdem ein kleiner Hund in der Wohnung, den hat der jüngste Bruder sich erquengelt, der kleine Petter. Oder vielleicht wartet auch ein sehniger und übellauniger Polfahrer mit sorgfältig verpackten Polarhandschuhen auf sie, mit Thermoanzügen, Schneetellern, Skiwachs und einem Inuit-Dänisch / Dänisch-Inuit-Wörterbuch unter dem Weihnachtsbaum. Natürlich will das Orangenmädchen an diesem Abend kein Semesterabschlussfest besuchen. An diesem Abend hat sie auch keinen Dienst im Kindergarten.

»Und bald wird Weihnachten eingeläutet«, sage ich. »Nicht wahr? Du darfst nicht in der Stadt sein, wenn Weihnachten eingeläutet wird.«

Darauf gibt sie keine Antwort, sie drückt nur fest und zärtlich meine Hand – und wir scheinen schwerelos durch den Weltraum zu schweben, scheinen uns an intergalaktischer Milch satt getrunken und das ganze Universum für uns zu haben.

Das Historische Museum liegt hinter uns und wir haben den Schlosspark erreicht. Ich weiß, dass jeden Moment ein Taxi kommen kann. Ich weiß, dass die Kirchenglocken bald das Weihnachtsfest einläuten werden.

Ich bleibe stehen und trete vor sie. Vorsichtig streichele ich ihre feuchten Haare und lasse die Hand auf der Silberspange in ihrem Nacken ruhen. Die ist eiskalt, aber sie lässt mich doch im ganzen Leib warm werden. Dass ich sie wirklich berühren kann!

Dann frage ich: »Wann können wir uns wieder sehen?«

Sie bleibt stehen und starrt den Asphalt an, ehe sie zu mir hochschaut. Ihre Pupillen tanzen einen unruhigen Tanz, ich habe den Eindruck, dass ihre Lippen beben. Dann gibt sie mir ein Rätsel auf, über das ich mir noch ausgiebig den Kopf zerbrechen werde. Sie fragt: »Wie lange kannst du warten?«

Was hätte ich auf diese Frage wohl antworten sollen, Georg? Vielleicht war sie eine Falle. Hätte ich »zwei oder drei Tage« gesagt, hätte ich mich als zu ungeduldig erwiesen. Und hätte ich gesagt »mein ganzes Leben«, hätte sie gedacht, dass ich sie nicht wirklich liebte oder vielleicht nicht ehrlich sei. Also musste ich einen Mittelweg finden.

Ich sagte: »Ich kann warten, bis mir vor Kummer das Herz blutet.«

Sie lächelte unsicher. Dann fuhr sie mir mit dem Finger über die Lippen. Und fragte: »Und wie lange ist das?«

Ich schüttelte verzweifelt den Kopf und entschied mich dann für die Wahrheit. »Vielleicht fünf Minuten«, sagte ich.

Das hörte sie offenbar gern, trotzdem antwortete sie flüsternd: »Es wäre schön, wenn du ein wenig länger durchhalten könntest...«

Jetzt musste ich meinerseits um eine Antwort bitten. Ich fragte: »Wie lange?«

»Du musst es schaffen, ein halbes Jahr zu warten«, sagte

sie. »Wenn du so lange warten kannst, können wir uns wieder sehen.«

Ich glaube, ich seufzte. »Warum so lange?«

Das Orangenmädchen verzog das Gesicht. Sie schien sich hart zu machen. Und sie sagte: »Weil das genau so lange ist, wie du warten *musst*.«

Sie sah, wie die Enttäuschung mir zu schaffen machte. Vielleicht fügte sie deshalb hinzu: »Aber wenn du das schaffst, können wir uns im folgenden halben Jahr jeden Tag sehen.«

Jetzt läuteten die Kirchenglocken und erst in diesem Moment nahm ich meine Hand von den feuchten Haaren und der Silberspange. Zugleich kam ein freies Taxi durch den Wergelandsvei. Das hatte ja so kommen müssen.

Sie schaut mir in die Augen und scheint um etwas zu bitten, sie bittet mich um Verständnis, sie bittet mich, alle meine Fähigkeiten und meinen ganzen Verstand zu benutzen. Wieder hat sie Tränen in den Augen. »Schöne Weihnachten also… Jan Olav«, stammelt sie. Dann springt sie auf die Straße, stoppt das Taxi, steigt ein und winkt mir fröhlich zu. Aber die Luft ist schicksalsschwer. Sie dreht sich nicht nach mir um, als das Auto anfährt und bald verschwunden ist. Ich glaube, sie weint.

Ich war überwältigt, Georg. Ich stand unter Schock. Ich hatte eine Million im Lotto gewonnen, aber es dauerte nur einige wenige Minuten, dann wurde verkündet, es sei ein Fehler passiert, der Gewinn könne deshalb nicht ausbezahlt werden, jedenfalls nicht sofort.

Wer war dieses übersinnliche Orangenmädchen? Diese

Frage hatte ich mir schon viele Male gestellt. Aber nun war noch eine weitere Frage dazugekommen. *Woher kannte sie meinen Namen?*

Noch immer läuteten die Glocken, im Dom und in den anderen Kirchen der Innenstadt, sie läuteten das Weihnachtsfest ein. Auf den Straßen war kein Mensch zu sehen, vielleicht rief ich deshalb mehrere Male mit lauter Stimme diese Frage in die Dezemberluft, ich sang sie fast: »Woher kennt sie meinen Namen?« Und ebenso dringlich war eine dritte Frage: Warum musste ein halbes Jahr vergehen, ehe sie mich wieder sehen wollte?

Ich sollte noch Gelegenheit genug bekommen, mir über diese Frage den Kopf zu zerbrechen. Und während die Tage vergingen, fehlte es mir nie an möglichen Antworten, ich wusste nur nicht, welche die richtige sein könnte. Ich konnte mich nur an einige wenige Symptome halten, aber ich sagte schon, es war meine Stärke, Zeichen zu deuten oder eine Diagnose zu stellen. Vielleicht war ich ein wenig zu eifrig. Jedenfalls entstanden zu viele parallele Theorien.

Vielleicht war das Orangenmädchen ernstlich krank, vielleicht war sie deshalb auf eine strenge Orangendiät gesetzt worden. Vielleicht würde sie sich im kommenden halben Jahr einer unangenehmen Therapie in den USA oder in der Schweiz unterziehen müssen, da hier zu Hause niemand mehr etwas für sie tun konnte. Auf jeden Fall hatte sie immer Tränen in den Augen, vor allem dann, wenn sie sich von mir losriss. Aber sie hatte auch angedeutet, dass wir uns danach ein halbes Jahr lang jeden Tag sehen könnten, also von Juli bis Dezember. Ich sollte zuerst ein halbes Jahr auf das Orangenmädchen warten und danach jeden Tag mit ihr zusammen sein. Bei diesem Gedanken fasste ich neuen Mut. Es war eigentlich keine schlechte Abmachung, so gesehen hatte ich keinen Grund, mich zu beklagen. Es bedeutete nämlich, dass wir einander im kommenden Jahr nicht seltener als alle zwei Tage sehen würden. Und wäre es nicht außerdem unendlich viel schlimmer gewesen, uns ein halbes Jahr lang jeden Tag und dann nie wieder zu sehen?

Ich hatte gerade mein Medizinstudium aufgenommen, und man weiß, dass Medizinstudenten in ihrem Eifer, Zeichen zu deuten, ihrer fast detektivischen Lust, Diagnosen zu stellen, gern seltsame Krankheiten wittern. Wie es ja auch nicht selten vorkommt, dass Theologiestudenten an ihrem Glauben an Gott irre werden oder angehende Juristen von Recht und Gesetz im Land nicht mehr überzeugt sind. Ich versuchte mir deshalb in strenger Selbstdisziplin auszureden, dass das Orangenmädchen krank und zu einer schmerzhaften Behandlung in einem fremden Land gezwungen sein könnte. Ich hatte mehr als genug andere Spuren, die ich verfolgen konnte.

Doch auch wenn das Orangenmädchen sterbenskrank oder vollkommen wirr im Kopf gewesen wäre, hätte das noch immer nicht erklärt, woher sie meinen Namen kannte. Und das war noch nicht alles: Warum brach sie fast jedes Mal, wenn sie mich sah, in Tränen aus? Was hatte ich an mir, das sie so unbeschreiblich traurig zu stimmen schien?

In den nun folgenden Weihnachtsferien konnte ich mich diesen vielen Gedankenspinnereien fast hemmungslos hingeben. Ich konnte mir zum Beispiel immer wieder vor Augen führen, was ich mir über die große Familie in Frogner aus den Fingern gesogen hatte. Oder ich konnte alle Antworten aufzählen, die ich auf die Frage fand, warum ich das Orangenmädchen erst in einem halben Jahr wieder sehen durfte. Eine der Antworten und vielleicht typisch für ihr Genre war, dass das Orangenmädchen einfach zu gut für diese Welt sei. Deshalb reiste sie heimlich nach Afrika, um für die Allerärmsten in diesem riesigen Erdteil Lebensmittel und Medikamente einzuschmuggeln, vor allem in die Gegenden, wo Malaria und andere schreckliche Krankheiten wüteten. Eine solche Antwort konnte jedoch das Rätsel der vielen Orangen nicht lösen. Warum übrigens nicht? Vielleicht wollte sie die nach Afrika mitnehmen? Warum hatte ich mir das noch nicht überlegt? Vielleicht hatte sie ihre gesamten Ersparnisse investiert und ein ganzes Herkulesflugzeug gechartert.

Gut, Georg, wir haben einander versprochen, dass wir nur den wirklichen Spuren des Orangenmädchens folgen werden. Wenn ich dich in alle meine Gedanken und Fantasien aus der Zeit einweihen wollte, müsste ich ein ganzes Jahr vor meinem Computer verbringen, und so viel Zeit habe ich nicht mehr. So einfach ist das, auch wenn der Gedanke daran wehtut.

Doch warum sollten wir uns auch mit Gedankenspinnereien aufhalten? Abgesehen davon, dass das Orangenmädchen mir einige Male in die Augen geschaut, zweimal meine Hand gehalten und mir einmal mit dem Finger über den Mund gestrichen hatte, konnte ich mich nur an unsere wenigen Worte halten. Also war es wichtig, mich genau daran zu erinnern, was wir gesagt hatten. Deshalb schrieb ich alles auf und zerbrach mir den Kopf, um unsere Wortwechsel zu deuten.

Wie steht es mit dir, Georg? Kannst du mir, 1., erklären, warum sie so viele Orangen einkaufte? Mir, 2., erzählen, warum sie mir im Café tief in die Augen schaute und meine Hand nahm, aber kein einziges Wort dabei sagte? Mir, 3., sagen, warum sie sich auf dem Youngstorg auf jede einzelne Orange konzentrierte und offenbar verhindern wollte, dass sie zwei erwischte, die einander ganz ähnlich sahen? Kannst du, 4., einen Grund finden, warum wir uns erst in einem halben Jahr wieder sehen sollten? Und kannst du, 5., das größte aller Rätsel lösen, nämlich, woher sie meinen Namen kannte?

Wenn du das alles schaffst, dann stehst du vermutlich auch schon kurz vor der Antwort auf die allerwichtigste Frage: Was war dieses Orangenmädchen denn nur? War sie eine von uns? Oder kam sie aus einer ganz anderen Wirklichkeit, vielleicht aus einer anderen Welt, in die sie für ein halbes Jahr heimkehren musste, ehe sie zurückkehren und sich unter uns niederlassen durfte?

Ich konnte diese Zeichen nicht deuten, Georg. Ich konnte keine Diagnose stellen.

Nicht lange, nachdem das Orangenmädchen über den Wergelandsvei verschwunden war, tauchte ein weiteres Taxi auf, das schnappte ich mir. Ich fuhr nach Hause in den Humlevei, um mit meiner Familie Weihnachten zu feiern.

Einar hatte in diesem Winter nur eine Leidenschaft, nämlich Slalomlaufen in Tryvannskleiva. Ich hatte ihm schicke

Skihandschuhe gekauft und freute mich darauf, dass er sie nach dem Weihnachtsfestmahl auspacken würde. Ich hatte außerdem eine Dose Luxusfutter für seine Katze erstanden. Meine Mutter sollte eine viel diskutierte finnlandschwedische Gedichtsammlung bekommen. Sie stammte von Märta Tikkanen und hieß *Die Liebesgeschichte des Jahrhunderts*. Für meinen Vater hatte ich den Roman eines neuen norwegischen Autors namens Erling Gjelsvik gekauft, der in Pamplona in Spanien spielte. Ich hatte ihn auch schon gelesen und nahm an, dass er meinen Vater interessieren würde. Dazu kam noch etwas: Damals träumte ich davon, selber etwas zu schreiben. Vielleicht fand ich es deshalb besonders spannend, meinem Vater dieses Erstlingsbuch eines jungen, unbekannten Autors zu schenken.

Damals schlief ich immer in dem Zimmerchen hinter dem Wohnzimmer. Jetzt ist das dein Zimmer, jedenfalls während ich das hier schreibe. Wie es aussehen wird, wenn du es liest, kann ich ja nicht wissen.

Ich will nichts über die Weihnachtsfeiern dieses Jahres erzählen, so gehört es sich in dem Rahmen, den ich dieser Geschichte gesetzt habe. Ich will nur verraten, dass ich in der Nacht zum ersten Weihnachtstag nicht eine Sekunde die Augen zumachte.

Ich hatte den langen Brief meines Vaters erst zur Hälfte gelesen, aber nun musste ich aufs Klo. Woran ich selbst schuld war, denn es lag daran, dass ich so viel Cola getrunken hatte.

Mist, dachte ich. Jetzt musste ich durch Wohnzimmer, Vorzimmer und Flur gehen und mich dabei von neugierigen erwachsenen Blicken durchsieben lassen. Ich glaube, so was nennt man »Spießrutenlaufen«. Aber mir blieb nichts anderes übrig.

Ich schloss die Tür auf, legte den Ausdruck aufs Bett und schloss die Tür hinter mir wieder ab. Den Schlüssel steckte ich in die Tasche.

Alle vier waren sofort zur Stelle. Ich versuchte, mich nicht um die vielen fragenden Blicke zu kümmern, die mich trafen.

»Bist du schon fertig?«, fragte Mama. Sie sah aus wie ein einziges großes Fragezeichen, denn was mochte ich wohl soeben gelesen haben?

»War es traurig?«, fragte Jørgen. Er glaubte wohl, ich müsse ihm Leid tun, weil mein Vater tot ist, obwohl er sich doch immer große Mühe gegeben hat, ein guter Ersatz zu sein. Das war ja auch in Ordnung und vielleicht war es auch schön so. Aber er konnte kein Mitleid mit Mama haben, die ihren Mann verloren hatte, und zugleich an die Stelle dieses Mannes treten, um nicht zu sagen, sich in dessen Bett legen. Ich glaube, dass Jørgen im Grunde froh darüber war, dass mein Vater nicht mehr lebte. Sonst hätte er doch Mama nicht. Und keine Miriam. Und außerdem: mich hätte er dann auch nicht. Es heißt nicht umsonst: »Des einen Tod, des anderen Brot.«

Mir fiel auf, dass er sich einen großen Whisky eingeschenkt hatte. Es kommt vor, dass er ein Glas trinkt, aber das geschieht sonst nur freitags und samstags. Und heute war Montag.

Ich glaube nicht, dass es ihm sonderlich peinlich war, mit seinem Schnaps mitten im Wohnzimmer zu stehen, ich erwähne das nicht deswegen. Aber vielleicht war es ihm ein bisschen peinlich, dass ich mich in mein Zimmer eingeschlossen hatte, um etwas zu lesen, das mein richtiger Vater mir kurz vor seinem Tod geschrieben hatte, lange bevor es in diesem Haus einen Jørgen gab. Als ich noch kleiner war, habe ich Jørgen manchmal »Zuwanderer« genannt. Was natürlich kindisch war. Ich wollte ihn damit nur aufziehen.

»Oder hast du noch mehr zu lesen?«, fragte Opa. Er hatte sich eine Zigarre angezündet. Und er hatte die Lage durchschaut.

»Es fehlt noch die Hälfte«, sagte ich. »Und jetzt muss ich aufs Klo.«

»Aber gefällt dir das, was du da liest?« Oma gab keine Ruhe.

»Kein Kommentar«, sagte ich. Das sagen Politiker zur Presse, wenn sie keine kniffligen Fragen beantworten wollen.

Die Gemeinsamkeit von Presseleuten und Eltern ist, dass sie gleich neugierig sind. Und die Gemeinsamkeit von Politikern und Kindern ist, dass ihnen dauernd peinliche Fragen gestellt werden, auf die es nicht immer eine einfache Antwort gibt.

Es ist vielleicht an der Zeit, die Mitwirkenden in dieser Geschichte ein wenig ausführlicher vorzustellen, und ich fange mit Mama an, da ich sie schließlich am besten kenne.

Mama ist gerade vierzig geworden und ich kann sie sicher als reife und selbstständige Frau bezeichnen, sie hat jedenfalls keine Angst davor, ihre Meinung zu sagen. Sie ist außerdem »mütterlich«, und jetzt denke ich nicht nur daran, wie sie sich um Miriam kümmert. Sie ist wohl auch mit mir ein bisschen zu gluckenhaft, und manchmal redet sie mit mir, als wäre ich zwei oder drei Jahre jünger. In der Regel lasse ich das durchgehen, aber ab und zu macht es mich doch fertig, zum Beispiel dann, wenn ich Freunde aus der Schule mit nach Hause bringe. Sie scheint meinen Freunden schrecklich gern demonstrieren zu wollen, dass ich noch immer ihr Kleiner bin, dabei bin ich inzwischen einige Zentimeter größer als sie. Einmal wollte ich im Wohnzimmer mit einem Kumpel Schach spielen, er heißt Martin, und sie kam mit einer Haarbürste zum Sofa und wollte mich frisieren! Aber da habe ich ihr ganz klar meine Meinung gesagt. Ich bin nicht gern wütend auf Mama – und bei der Gelegenheit war ich nicht einfach wütend, ich war außer mir vor Zorn –, aber schließlich war Martin dabei, und ich musste zeigen, dass ich Grenzen ziehen kann. Mama lief einfach nur in die Küche und zwanzig Minuten später kam sie mit heißem Kakao und Rosinenkuchen zurück. Martin stieß einen begeisterten Pfiff aus, aber ich fand es nur peinlich, jetzt auch noch bedient zu werden. Ich wäre fast in die Küche gestürzt, um nachzusehen, ob noch Bier im Kühlschrank war. Ich dachte, wenn ich kein Bier finde, weiß ich auf jeden Fall, wo Jørgen seine Whiskyflasche stehen hat. Aber glücklicherweise hat Martin Sinn für Humor. Wir mussten später natürlich darüber reden. Ich glaube, er hatte ein wenig mehr Achtung vor Mama, nachdem ich ihm erzählt hatte, dass sie Dozentin an der Staatlichen Kunstakademie ist. »Wenn ein neuer Picasso auftaucht, dann weißt du, wo er gelernt hat«, sagte ich. Nach allem, was passiert war, lag es in meinem eigenen Interesse, ihre Fähigkeiten ein wenig herauszustreichen.

Es ist schwer, die eigene Mutter zu beschreiben, jedenfalls

was Gelüste und Laster und solche Dinge angeht, aber sie hat wirklich eine besondere Eigenheit. Mama ist scharf auf Lakritz und ich meine alle Arten von Lakritz. Überall finde ich Lakritzboote, Fazer-Mischungen und englisches Konfekt. In letzter Zeit isst sie nur noch heimlich, denn Jørgen und ich haben das Problem bei den Hörnern gepackt und ihr die ungesunde Angewohnheit vorgehalten. Jørgen meint, dass Lakritzkonsum zu hohem Blutdruck führt, da übertreibt er vielleicht, aber die Sache ist jetzt so weit gekommen, dass ich ihr versprechen muss, Jørgen nichts zu verraten, wenn sie sich in der Stadt eine Tüte Lakritzkatzen oder eine Dose englisches Konfekt gekauft hat.

Wenn ich Mamas stärkste Seite in zwei Wörtern darstellen sollte, dann würde ich sagen: gute Laune. Aber ich will auch nicht verschweigen, was ihre schwächste Seite ist: schlechte Laune. Und es kommt nicht oft vor, dass ich irgendetwas zwischen diesen beiden Extremen erlebe. Mama ist in der Regel sehr guter Laune, aber ab und zu kann sie stocksauer werden. Sie ist also immer in irgendeiner Stimmung, sie ist nie »ausgeglichen«. Mamas Lieblingssatz ist: »Jetzt spielen wir eine Runde Karten, dann gehen wir ins Bett.«

Und dann zu Jørgen. Er ist nur 1,70 groß und damit genauso groß wie Mama, für einen erwachsenen Mann ist das nicht gerade umwerfend. Viele würden das für einen Nachteil halten, und wenn sie Recht haben, dann ist das nicht sein einziger, denn Jørgen hat außerdem noch rote Haare. Er hat eine bleiche Haut, wird im Sommer nie braun, sondern nur hellrot und sonnenverbrannt, sogar auf seinen Armen hat der Bursche rote Haare. Wie ich schon sagte, ist er modebewusst, vielleicht sogar ein bisschen modeverrückt. Nicht alle Männer haben in ihrem Badezimmer drei Sorten Deos und vier Sorten Rasierwasser stehen. Nicht alle trauen sich mit hellgelber Kamelhaarjacke und schwarzem Seidenschal auf die Straße. Jørgen wohl. Das Schlimmste daran ist, dass es ihm steht.

Trotz allem aber arbeitet Jørgen als Ermittler bei der KRIPO! Er reibt uns immer wieder seine »Schweigepflicht« unter die Nase, aber nicht immer kann er die einhalten. Es ist schon zweimal vorgekommen, dass ich wichtige Einzelheiten über Kriminalfälle wusste, noch ehe die Zeitungen darüber schrieben. Er hat Vertrauen zu mir. Das ist schön von ihm. Jørgen weiß, dass ich die Geheimnisse der Polizei nicht herausposaune.

Jørgen ist so ein Typ, der glaubt, dass er über alles Bescheid weiß, aber er hat nicht immer Recht. Vor einiger Zeit wollten sie mir bei IKEA einen neuen Kleiderschrank kaufen. (Sie hatten schrecklich genervt, dass sie angeblich im ganzen Haus über meine Sachen stolpern, aber das war ziemlich übertrieben, denn im ersten Stock habe ich noch nie auch nur eine Socke herumliegen lassen. Tatsache ist, dass ich dort so gut wie nie bin.) Wir brauchten einen ganzen Nachmittag, um den Schrank zusammenzubauen, und dann noch den Abend, um ihn aufzustellen. Jørgen meinte nämlich, der Schrank solle mit dem Rücken zur Tür stehen, aber damit war ich nun wirklich nicht einverstanden. Ich wollte ihn neben das Fenster stellen, auch wenn er dann einen halben Zentimeter von der Aussicht abschnitt. Ich sagte, das sei mein Zimmer, und auf einen halben Zentimeter Aussicht könne ich gut verzichten. Ich erinnerte ihn daran, dass ich schon viel länger in diesem Haus wohnte als er und dass es außerdem nicht dumm wäre, den Schrank auch bei offener Zimmertür öffnen zu können. Ich setzte natürlich meinen Willen durch, aber es dauerte fast einen ganzen Tag, bis er wieder mit mir redete, und als es dann endlich so weit war, kostete es ihn noch sichtlich Anstrengung.

Es ist vielleicht Jørgens stärkste Seite, dass er bereit ist, fast seine ganze Freizeit auf den Versuch zu verwenden, aus mir einen Sportler zu machen. Alle Menschen werden mit Muskeln geboren, sagt er, aber Muskeln müssen auch benutzt werden. Seine schwächste Seite ist vielleicht, dass er nicht hinnehmen mag, dass ich womöglich andere Zukunftspläne habe, als ausgerechnet Sportler zu werden. Ich glaube nicht, dass Jørgen es besonders schön findet, dass ich immer wieder die Mondscheinsonate übe. Jørgens Lieblingsspruch ist zweifellos: »Es kommt auf die Einstellung an.«

Ehe ich etwas über meine Großeltern sage, muss ich betonen, dass ich sie sehr gut kenne, jedenfalls ebenso gut wie Jørgen, denn ich habe sie im Laufe der Jahre oft in Tønsberg besucht. Vor allem war ich viel bei ihnen, als Mama und Jørgen neu zusammen waren. Damals war ich erst zehn. Ich glaube nicht, dass aus Mama und Jørgen wirklich ein Paar geworden wäre, wenn Mama nicht die Möglichkeit gehabt hätte, mich für einige Tage oder Wochen abzuschieben. Ich sage das nicht, um mich zu beklagen, im Gegenteil. Ich war immer gern in Tønsberg. Außerdem freue ich mich darüber, dass Mama und Jørgen gescheit genug waren, mich mit der Anfangsphase ihrer Beziehung zu verschonen, also der Flirt-Periode. Es war auch so schon hart genug. Einmal ging ich in den ersten Stock, um Gute Nacht zu sagen, und da lagen sie unter der Decke und knutschten. *Das wollte ich nun wirklich nicht sehen, deshalb machte ich einfach kehrt und schlich mich die Treppe hinunter. Vielleicht hätte ich anders reagiert, wenn Jørgen wirklich mein Vater wäre. Vielleicht aber auch nicht. Ich fand es eigentlich nicht so schrecklich. Aber sie hätten doch die Schlafzimmertür schließen können. Sie hätten sagen können, dass sie ins Bett wollten. Dann wäre ich mir nicht so blöd vorgekommen. Und nicht so einsam.*

Oma wird bald siebzig und hat fast ihr Leben lang als Gesangslehrerin gearbeitet. Sie liebt alle Arten Musik, ihr Liebling aber ist Puccini. Sie hat es sich zur Lebensaufgabe gemacht, mir La Bohème *nahezubringen, aber italienische Oper ist mir ehrlich gesagt zu kitschig, auch* la Bohème*, sie ist ein einziger Mischmasch aus Liebe und Schwindsucht. Ansonsten liebt meine Großmutter die Natur und vor allem Vögel. Sie schwärmt für alle Arten von Fisch und Meeresfrüchten und hat zum Beispiel einen besonderen Salat erfunden, den sie »Tønsberg-Salat« nennt (er besteht aus Krabben, Krebsfleisch und Fischfrikadellen; das Originelle daran sind die Fischfrikadellen). Jeden Herbst will sie mit mir auf die Insel Tjøme fahren und Pilze suchen. Ihre stärkste Seite: Oma kennt die Namen aller Vögel und weiß auch, wo sie brüten. Schwächste Seite: Sie kann (leider) nicht kochen, ohne dabei Arien von Puccini zu singen. Ich habe nicht versucht, ihr das abzugewöhnen, das habe ich mich einfach nicht getraut, weil meine Oma eine sehr gute Köchin ist. Ihr Lieblingsspruch: »Setz dich doch, Georg, dann reden wir eine Runde.«*

Ehe Opa pensioniert wurde, war er beim Staatlichen Wetteramt angestellt, und dieses Interesse hat er noch nicht verloren, er kauft sich Zeitungen, nur damit er über die Wettervorhersagen diskutieren kann. Er raucht Zigarren, aber, so behauptet er, nur zu feierlichen Gelegenheiten. Meine Besuche in Tønsberg sind für ihn also offenbar feierliche Gelegenheiten, ebenso wie unsere Bootsausflüge. Er ist munter und witzig, um nicht zu sagen ein Witzbold, und er hat nie Angst davor, seine Meinung zu sagen. Wenn er Omas Frisur scheußlich findet, dann sagt er das sofort. Aber er sagt es auch sofort, wenn ihm ihre Frisur gefällt. Opa verbringt die eine Hälfte des Sommerhalbjahres in seinem Boot, die andere über seinen Zeitungen. Ab und zu schreibt er einen Leserbrief an das Tønsbergs Blad und er kann vielleicht als lokaler Promi bezeichnet werden. Seine stärkste Seite: er ist ein fantastischer Seemann. Seine schwächste Seite: manchmal scheint er sich für den König von Tønsberg zu halten. Sein Lieblingsspruch: »Wir Reichen haben's gut!«

Auch Onkel Einar ist hier schon erwähnt worden. Ich fand es witzig zu lesen, dass er in dem Herbst, in dem mein Vater das Orangenmädchen kennen lernte, so alt war wie ich jetzt. Heute ist er Erster Steuermann auf einem großen Handelsschiff, er ist nicht verheiratet, behauptet aber, in jedem Hafen eine Braut zu haben. (Eine Zeit lang hatte ich auch den Verdacht, dass er eine Braut an Bord hatte. Es gab jedenfalls dort ein halbes Jahr lang eine gewisse Ingrid, die dann plötzlich abmusterte.) Er verspricht immer wieder, mich irgendwann mit seinem Schiff ins Ausland mitzunehmen, aber das ist sicher nur Gerede, denn bisher ist nie etwas daraus geworden. Stärkste Seite: vermutlich der tollste Onkel Norwegens. Schwächste Seite: hält nie seine Versprechen. Lieblingsspruch: »Erzähl mir doch nichts, du Landratte!«

Bleibt nur noch einer übrig, und der ist zum Ausgleich der, der am schwierigsten zu beschreiben ist, denn es handelt sich um Georg Røed. Ich bin 1,74 groß und damit vier Zentimeter größer als Jørgen. Ich glaube, das gefällt ihm nicht, aber vielleicht ist er auch darüber erhaben (!). Ich stecke in dem Jungen und sehe deshalb nie von außen, wie er sich durchs Haus bewegt. Ab und zu sehe ich ihn dennoch von Angesicht zu Angesicht, nämlich dann, wenn ich ein seltenes Mal vor dem Spiegel stehe. Es mag eingebildet klingen, aber ich muss zugeben, dass ich zu dem Teil der Bevölkerung gehöre, der mit seinem Aussehen einigermaßen zufrieden ist. Ich will mich nicht als hübsch bezeichnen, aber grottenhässlich bin ich jedenfalls nicht. Trotzdem ist Wachsamkeit angesagt. Irgendwo habe ich gelesen, dass mehr als zwanzig Prozent aller Frauen glauben, zu den drei Prozent der schönsten Frauen im Land zu gehören, und diese Gleichung geht natürlich nicht auf. Ich weiß nicht, wie viele Menschen sich zu den drei Prozent der hässlichsten zählen, aber ich stelle es mir schrecklich vor, ein ganzes Leben lang mit sich unzufrieden zu sein. Ich hoffe ganz ehrlich, dass Jørgen nicht traurig darüber ist, dass er rote Haare hat und ohne Schuhe nur eins siebzig misst. Ich habe mich schon gefragt, ob das wohl der Fall ist, aber ich traue mich nicht, ihn offen danach zu fragen.

Wenn mir an meinem Aussehen überhaupt etwas Sorgen macht, dann, dass ich in letzter Zeit peinliche Pickel auf der Stirn bekommen habe, und es ist irgendwie kein Trost, dass sie in vier oder acht Jahren wieder verschwunden sein werden. Jørgen behauptet, dass vielleicht schon ein paar richtige Joggingrunden mit ihm dafür sorgen könnten, aber darauf falle ich

*nicht rein. Es ist einfach blöd von ihm, jetzt mag ich die Beine
erst recht nicht mehr in die Hand nehmen. Denn dann würde
Jørgen glauben, dass ich jogge, um meine Pickel loszuwerden.*

*Ich habe die blauen Augen meines Vaters geerbt, habe blon-
de Haare und ziemlich helle Haut, werde im Sommer aber
richtig braun. Meine stärkste Seite: Georg Røed gehört zu dem
Teil der Bevölkerung, der wirklich begriffen hat, dass wir auf
einem Planeten in der Milchstraße leben. Schwächste Seite:
kein typischer Aufreißer. Ich hätte nichts dagegen, wenn ich in
dieser Richtung ein wenig mehr Offensive entwickeln könnte.
Lieblingsspruch: »Warum oder?«*

*Nachdem ich auf der Toilette gewesen war, musste ich wieder
durch das Wohnzimmer gehen, aber jetzt schwiegen die Erwachsenen alle. Darauf hatten sie sich offenbar geeinigt. Ich
schloss die Tür des Zimmers auf, das einst das Zimmer meines
Vaters gewesen war, schloss hinter mir ab und ließ mich aufs
Bett fallen. Jetzt würde ich bald erfahren, wer dieses geheimnisvolle Orangenmädchen war. Wenn mein Vater sie überhaupt
jemals wieder gesehen hatte, wohlgemerkt. Vielleicht war sie
eine Hexe. Jedenfalls hatte sie meinen Vater verhext. Es musste
einen Grund dafür geben, dass er mir so unbedingt von ihr erzählen wollte. Ich sollte offenbar etwas erfahren, etwas, das
mein Vater seinem Sohn vor seinem Tod unbedingt noch mit-
teilen wollte.*

*Ich wurde noch immer nicht das Gefühl los, dass das Oran-
genmädchen auf irgendeine Weise mit dem Hubble-Teleskop
zu tun haben könnte, oder zumindest mit dem Universum
und dem Weltraum. Mein Vater hatte da etwas Seltsames ge-*

schrieben, das hatte mich auf diesen Gedanken gebracht. Ich blätterte zurück und las noch einmal: »... sie drückt nur fest und zärtlich meine Hand – und wir scheinen schwerelos durch den Weltraum zu schweben, scheinen uns an intergalaktischer Milch satt getrunken und das ganze Universum für uns zu haben.«

Vielleicht stammte das Orangenmädchen von einem anderen Planeten? Es wurde jedenfalls angedeutet, dass sie aus einer anderen Welt stammen könnte als unserer. Vielleicht kam sie von einem UFO?

Natürlich nicht, an so etwas glaube ich nicht, und mein Vater hatte sicher auch nicht daran geglaubt. Aber vielleicht war sie selber davon überzeugt. Das wäre fast genauso schlimm!

Das Hubble-Teleskop braucht 97 Minuten, um sich mit einer Geschwindigkeit von 28000 Stundenkilometern einmal um die Erde zu bewegen. Zum Vergleich: Die erste Dampflok in Norwegen brauchte zweieinhalb Stunden für die achtundsechzig Kilometer lange Strecke zwischen Christiania und Eidsvoll. Ich habe ausgerechnet, dass das eine Durchschnittsgeschwindigkeit von ungefähr achtundzwanzig Stundenkilometern ergibt. Das Hubble-Teleskop ist also tausendmal schneller als Norwegens erste Eisenbahn. (Mein Lehrer war ganz begeistert von diesem Vergleich!)

28000 Stundenkilometer! Da kann man doch wirklich von schwerelosem Schweben im Weltall sprechen! Und auch davon, dass jemand sich an »intergalaktischer Milch« satt trinkt. Jedenfalls, wenn die ganze Zeit Bilder von Galaxien aufgenommen werden, die viele Millionen Lichtjahre von der Milchstraße entfernt sind.

Das Hubble-Teleskop besitzt zwei Flügel mit Sonnenpaneelen. Die sind zwölf Meter lang, zweieinhalb Meter breit und versorgen den Satelliten mit dreitausend Watt. Aber die beiden Turteltauben aus dem Dom hätten wohl kaum auf diesen Flügeln sitzen und das ganze Universum für sich haben können, als sie am Historischen Museum vorüberkamen und den Schlosspark erreichten. Obwohl, wer weiß, vielleicht waren sie im siebenten Himmel.

Ich nahm den Blätterstapel und las weiter.

Zwischen Weihnachten und Neujahr machte ich keinerlei Versuch, das Orangenmädchen zu finden. Jetzt sollte Weihnachtsfriede herrschen. Aber im Januar legte ich wieder los. Ich war in Höchstform.

Ich machte viele hundert Versuche, um sie aufzuspüren, doch Erfolg hatte ich bei keinem, weshalb ich auch nichts zu erzählen habe. Ich bin sicher, du hast dich bereits an Rhythmus und Logik dieses Berichts gewöhnt.

Ich werde jedoch eine Ausnahme machen, und die hängt mit einem wichtigen Moment zusammen, das ich auf meiner kleinen Liste von Rätseln, die du lösen sollst, vergessen habe. Der alte Wanderanorak, Georg! Was ist mit dem? Gerade der hatte mich doch auf den Gedanken an die anstrengende Skiwanderung durchs grönländische Eis gebracht. Er hatte mich zu der Annahme verleitet, das Orangenmädchen könne bitterarm sein. Aber vor allem wies er natürlich darauf hin, dass sie sich gern an der frischen Luft bewegte.

Ich unternahm in diesem Winter deshalb viele Skiwanderungen, und vielleicht haben nicht zuletzt diese vielen Touren durch die Umgebung von Oslo und die Berge dazu beigetragen, dass mein Körper diese wütende Krankheit über zwei Monate lang auf Distanz halten konnte. Ich will jetzt aber nicht von den Skitouren berichten, denn dabei sah ich sie nicht, nicht in den Loipen und auch nicht in Kikut, Stryken oder Harestua. Doch Anfang März rückte der Holmenkollsonntag näher. Ich wurde ganz glücklich, wenn ich an das bevorstehende Skispringen dachte. Jetzt schienen sich alle Stücke zusammenzufügen, das ganze Puzzle. Es kam mir vor wie elf Richtige im Toto, es stand nur noch ein Spiel aus, und da waren die Chancen mehr als gut.

Bei schönem Wetter finden sich am Holmenkollsonntag über 50000 Menschen dort ein. An diesem Tag wandert also ein ziemlich hoher Prozentsatz der Osloer Bevölkerung den Berg hinauf. Aber wie groß ist wohl der Prozentsatz, der dabei grundsätzlich alte Anoraks trägt? Der liegt ziemlich dicht unter hundert Prozent, wenn du mich fragst.

Ich fuhr also zum Holmenkollen, und es war gar kein schlechtes Wetter, das steigerte meine Chancen. Ich hatte mehr als 50000 Gelegenheiten, dem Orangenmädchen zu begegnen, und eins kann ich dir sagen: An diesem Sonntag im März herrschte dort oben wirklich kein Mangel an alten Anoraks in allen von der Sonne ausgeblichenen Varianten. Deshalb schaute ich auch gar nicht erst zur Sprungschanze hinüber, ich war mehr als genug mit der Betrachtung der vielen Anoraks beschäftigt. Ich entdeckte das Orangenmädchen mehrere Male, und jedes Mal hätte ich ein mächtiges Gebrüll ausstoßen mögen, aber sie war es dann doch nie. Zweimal fiel mein Blick auch auf die märchenhafte Silberspange, aber es war nie ihre.

Sie war nicht da, Georg. So war das einfach. Und es war das Einzige, was ich dort registrierte. Ich hörte nicht einmal, wer das Springen gewonnen hatte. Ich stellte an diesem Holmenkollsonntag nur fest, dass das Orangenmädchen fehlte. Ich hatte nur Augen für das, was es nicht gab.

Seit damals war ich nur noch einmal auf dem Holmenkollen, und ich weiß nicht, ob es jetzt bei dir klingelt. Vielleicht hast du eine vage Erinnerung an etwas, das wir beide dort erlebt haben, als du knapp dreieinhalb Jahre alt warst?

In diesem Jahr standen du und ich unten am Hang und schauten zu den Skispringern hoch. An diesem Märztag war ein ganz besonderes Wetter. Ein seltener Föhn brachte fast schon Sommertemperaturen ins Land. Der Schnee für das Skispringen musste deshalb durch halb Norwegen angekarrt werden, genauer gesagt, vom Hochgebirge bei Finse. In diesem Jahr sackte Jens Weißflog die Goldmedaille ein. Das war eine arge Enttäuschung für das norwegische Publikum, kam aber nicht ganz überraschend, denn Weißflog holte damit nicht seinen ersten Sieg.

Ich will dir ein kleines Geheimnis anvertrauen. Auch als wir beide vor fast einem halben Jahr an diesem warmen Märztag auf dem Holmenkollen waren, ertappte ich mich immer wieder dabei, wie ich nach dem Orangenmädchen Ausschau hielt. Mehr als zehn Jahre waren vergangen, aber die Enttäuschung steckte mir noch immer in den Knochen.

Ich habe wenig Zeit, mein Junge. Doch nicht nur deshalb überspringe ich jetzt einige Wochen. Erst danach gibt es wieder etwas zu erzählen.

Ende April fand ich eines Tages eine schöne Postkarte in meinem Briefkasten. Es war ein Samstag und ich besuchte meine Eltern im Humlevei. Die Karte war also nicht nach Adamstuen geschickt worden, wo ich damals mit Gunnar zusammen wohnte, trotzdem war sie für mich.

Und jetzt hör zu: Auf der Karte war ein märchenhafter Orangenhain zu sehen und auf dem Bild stand in großen Buchstaben PATIO DE LOS NARANJOS; das heißt so ungefähr »Orangengarten«, so viel Spanisch verstand ich immerhin. Wie gesagt, Zeichen deuten konnte ich immer schon gut.

Orangengarten! Mein Herz hämmerte los. Es gibt etwas, das Blutdruck heißt, Georg. In extremen Situationen kann der plötzlich sehr hoch steigen, ja, sogar springen. Aber dadurch solltest du dich nicht von großen Erlebnissen und starken Eindrücken abhalten lassen. Es ist nämlich ein ganz ungefährlicher Zustand. (Ich hoffe trotzdem, dass du dich später nicht auf Drachenfliegen oder Fallschirmspringen verlegen wirst. Und Bungeespringen solltest du auf keinen Fall!)

Ich drehte die Karte um. Sie war in Sevilla abgestempelt und darauf stand nur: *Ich denke an dich. Kannst du noch ein wenig warten?*

Mehr nicht, es gab keinen Namen und keinen Absender. Aber auf die Karte war ein Gesicht gezeichnet – und es war ihr Gesicht, Georg, das Eichhörnchengesicht. Es schien von einer Künstlerin gemalt worden zu sein, von einer großen Künstlerin sogar.

Das alles wunderte mich eigentlich gar nicht so sehr. Natürlich war das Orangenmädchen im Orangengarten, wo denn sonst. Sie war ganz einfach in ihr Königinnenreich gereist, ins

Orangenland. Das alles passte nur zu gut zu meinen Vorstellungen. Schließlich war auch der junge Jesus im Tempel zurückgeblieben, um im Haus seines Vaters zu sein.

Nichts war jetzt noch schwer zu verstehen. Alle Rätsel waren gelöst. Alle Patiencen waren aufgegangen. Dort unten konnte das Orangenmädchen ein halbes Jahr Atem holen und sich ihrem wählerischen, fast schon künstlerischen Interesse an der Vielfalt der Orangen widmen, ehe sie sich dann hoffentlich losriss und ihr Versprechen hielt, sich ein halbes Jahr lang jeden Tag mit mir zu treffen. Danach musste sie vielleicht wieder zum Luftschnappen hinfahren, doch das wäre etwas ganz anderes.

Ich war glücklich, mein Gehirn produzierte jede Mengen von einer Substanz, die wir Mediziner als »Endorphine« bezeichnen. Es gibt ein besonderes Wort für diesen fast krankhaften Glückszustand, wir bezeichnen den Patienten dann als »euphorisch«. In diesem Zustand befand ich mich jetzt. Und deshalb rannte ich zu meinen Eltern, sie saßen beide im Wintergarten, Mutter in dem grünen Schaukelstuhl und Vater hinter seiner Samstagszeitung auf der alten Chaiselongue. Ich stürzte herein und teilte mit, dass ich heiraten wolle. Das sagte ich, ich erklärte, ich habe vor zu heiraten. Das hätte ich lieber lassen sollen, denn schon eine halbe Stunde darauf folgte der Absturz. Mein Gehirn produzierte keine Endorphine mehr und ich war nicht mehr euphorisch. Ich begriff schließlich gar nichts. Ich begriff weniger denn je.

Das Orangenmädchen hatte schon verraten, dass sie meinen Vornamen kannte. Aber jetzt wusste ich, sie kannte auch meinen Nachnamen. Und das war noch nicht alles, Georg: Da unten im Orangenland hatte sie außerdem die Adresse des Hauses im Humlevei. Was sagst du dazu? Es war schön, es war irgendwie eine niedliche Vorstellung, egal, welche Erklärung es für dieses Rätsel geben mochte. Aber war es nicht auch bitter, dass sie nach Spanien gefahren war, ohne das auch nur kurz zu erwähnen, in diesen magischen Minuten, in denen wir Hand in Hand auf den Schlosspark zugegangen waren, kurz bevor Weihnachten eingeläutet wurde und Aschenbrödel auf ihre Kutsche aufspringen musste, die sich sonst in einen Kürbis verwandeln würde.

Das lag jetzt dreieinhalb Monate und mindestens fünfundzwanzig Skitouren, besser gesagt Suchaktionen, zurück.

Oder war das Orangenmädchen auch in Marokko, Kalifornien und Brasilien gewesen? Die Orange ist heute eine fantastische Nutzpflanze, Georg, sie hätte meiner Ansicht nach schon längst als wichtigste Frucht der Natur kanonisiert werden müssen. Vielleicht arbeitete das Orangenmädchen insgeheim als Agentin für die Orangeninspektion der UNO (UNIO)? Es war doch keine neue, gefährliche Orangenseuche aufgekommen? Oder stand sie deshalb so oft auf dem Youngstorg und untersuchte Orangen auf ihren Gesundheitszustand? Machte sie deshalb diese wöchentlichen Stichproben?

Vielleicht war diese reiselustige Frau auch schon in China gewesen. Dann wusste sie, dass der andere Name dieser Frucht, Apfelsine, ursprünglich »Apfel aus China« bedeutet hatte. Denn die Orangen stammten eigentlich aus China. Wenn das Orangenmädchen jedoch bis nach China gewallfahrtet war, dorthin, wo einst der allererste Orangenbaum dieses Planeten seine Blätter geöffnet hatte, dann hätte ich ihr leider keine

Postkarte mit der Aufschrift *An das Orangenmädchen, China* schicken können. Es wäre für die chinesische Post zu schwer gewesen, sie unter mehr als einer Milliarde anderer Menschen zu finden. Ich hätte es sicher geschafft, aber ich konnte ja nicht davon ausgehen, dass chinesische Postboten ebenso eifrig suchten wie ich.

Egal, Georg, wir müssen weiter.

Ich riss mich für einige Tage von meinen Studien los, lieh mir bei meinen Eltern tausend Kronen und buchte einen billigen Flug nach Madrid. Dort übernachtete ich bei dem Onkel eines alten Bekannten. Am nächsten Morgen flog ich weiter nach Sevilla. Ich konnte mich nicht darauf verlassen, dass ich sie finden würde; ich ging davon aus, dass die Wahrscheinlichkeit ungefähr so groß war wie auf dem Holmenkollen. Und das war noch nicht alles: Wenn ich ihr auch in Sevilla nicht begegnete, von Angesicht zu Angesicht, meine ich, so wusste ich doch, dass sie erst vor kurzer Zeit dort gewesen war, vor ihrer Weiterreise nach Marokko, zum Beispiel. Ich würde außerdem das Orangenland erleben und etwas von dem säuerlichen Orangenduft einatmen, den sie eingeatmet hatte, ich würde durch die Straßen gehen, durch die sie gegangen war, vielleicht würde ich auf denselben Bänken sitzen, auf denen sie gesessen hatte. Allein das war Grund genug für diese Reise. Außerdem war es nicht unvorstellbar, dass ich wichtige Spuren finden würde, die sie hinterlassen hatte, zum Beispiel in diesem Orangengarten, vorausgesetzt dass sie mich hineinließen. Ich überlegte mir, dass es an diesem heiligen Ort sicher Wallgräben, bissige Hunde und strenge Bewachung gab.

Doch eine gute halbe Stunde nach meiner Landung in Sevilla konnte ich bereits durch den Orangengarten spazieren. Er lag eingeklemmt hinter Sevillas großer Kathedrale und war ein schöner, ummauerter Garten, fast wie eine Musteranlage. Jedenfalls standen die vielen Bäume mit ihren überreifen Früchten dort in Reih und Glied. Aber das Orangenmädchen war nicht zu sehen. Vermutlich war sie nur kurz in die Stadt gegangen. Sicher würde sie bald wieder hier sein ...

Ich versuchte vernünftig zu überlegen. Ich versuchte mir zu sagen, dass ich nicht damit rechnen könnte, ihr sofort zu begegnen, vielleicht nicht einmal in den ersten Tagen. Deshalb blieb ich nur drei Stunden im Orangengarten. Doch als ich ging, hinterließ ich sicherheitshalber einen Zettel an einem alten Springbrunnen mitten im Garten. Ich schrieb: *Ich denke auch an dich. Nein, ich kann nicht noch ein wenig warten.* Auf diesen Zettel legte ich einen kleinen Stein.

Ich unterschrieb nicht mit Namen, ich schrieb nicht einmal darauf, für wen der Zettel bestimmt war, aber ich fügte eine kleine Strichzeichnung hinzu, die mein Gesicht zeigte. Sie hatte absolut keine Ähnlichkeit mit mir, aber ich war mir sicher, dass das Orangenmädchen verstehen würde, wen die Zeichnung darstellte, wenn sie den Zettel fand. Sicher würde sie bald hierher zurückkehren. Bestimmt kam sie ab und zu ihre Post holen.

Erst eine Stunde, nachdem ich den Zettel unter den Stein gelegt hatte und wieder in der Stadt unterwegs war, ging mir zu meiner Bestürzung auf, dass ich vielleicht einen schrecklichen Fehler gemacht hatte.

Sie hatte gesagt: *Du musst es schaffen, ein halbes Jahr zu warten. Wenn du so lange warten kannst, können wir uns wieder sehen.* Ich hatte gefragt, warum ich so lange warten müsste. Und das Orangenmädchen hatte ganz einfach geantwortet: *Weil das genau so lange ist, wie du warten* musst. *Aber wenn du das schaffst, können wir uns im folgenden halben Jahr jeden Tag sehen.*

Verstehst du, Georg? Ich hatte mich nicht an die Regeln gehalten. Ich hatte kein halbes Jahr durchgehalten. Und deshalb hatte ich jetzt nicht mehr ihr Wort darauf, dass wir uns im nächsten halben Jahr jeden Tag sehen könnten.

Unsere feierliche Abmachung war ganz einfach zu verstehen gewesen, nur war sie so schrecklich schwer einzuhalten. Aber alle Märchen haben ihre eigenen Regeln, ja, vielleicht sind es gerade die Regeln, durch die ein Märchen sich vom anderen unterscheidet. Es ist nie nötig, diese Regeln zu *verstehen.* Man muss sie nur einhalten. Wenn nicht, dann gehen die Versprechen nicht in Erfüllung.

Verstehst du, Georg? Warum musste Aschenbrödel den Schlossball vor Mitternacht verlassen? Ich habe keine Ahnung und Aschenbrödel wusste es sicher auch nicht. Aber man darf solche Fragen nicht stellen, wenn man sich erst mithilfe von Zauberei und Magie ins wunderschönste Traumland versetzt hat. Dann muss man die Bedingungen einfach akzeptieren, so unbegreiflich sie auch sein mögen. Wenn Aschenbrödel den Prinzen bekommen will, dann muss sie sich vor Punkt zwölf vom Ball losreißen. So einfach ist das, das ist Klartext. Sie muss sich an die Regeln halten. Wenn nicht, verliert sie ihr Ballkleid und die Kutsche verwandelt sich in einen Kürbis.

Also sorgt sie dafür, dass sie um Mitternacht zu Hause ist, und sie schafft es auch haarscharf, nur verliert sie unterwegs einen Schuh. Seltsamerweise hilft der dem Prinzen am Ende, sie zu finden. Denn die bösen Stiefschwestern haben sich nicht an die Regeln gehalten und müssen bitter dafür büßen.

In diesem Märchen aber galten andere Regeln. Wenn ich das Orangenmädchen dreimal mit großen Orangentüten im Arm sähe, würde sie mir gehören. Aber ich musste sie am Heiligen Abend erblicken, und vielleicht noch mehr als das, ich musste ihr genau in dem Moment, als Weihnachten eingeläutet wurde, in die Augen schauen, und zugleich musste ich die magische Silberspange berühren. Frag nicht warum, Georg, aber so waren die Regeln. Wenn ich die letzte und entscheidende Prüfung nicht bestand, also die, mich ein halbes Jahr vom Orangenmädchen fern zu halten, dann würden meine ganzen Anstrengungen vergebens sein und alles wäre verloren.

Ich stürzte zurück in den Orangengarten. Aber jetzt war der Zettel verschwunden, und ich konnte nicht einmal sicher sein, dass sie ihn hatte. Jeder norwegische Tourist konnte ihn schließlich weggenommen haben.

In dem Moment, als mein Blick auf den Stein fiel, den ich auf den Zettel gelegt hatte – der Zettel war, wie gesagt, spurlos verschwunden –, ging mir noch etwas auf. Etwas, das mir eine gewisse Hoffnung schenkte, obwohl ich mich nicht an die Regeln gehalten hatte. Was meinst du, Georg: Das Orangenmädchen hatte mir eine Karte geschrieben, denn sie kannte meine Adresse. Dann hatte ich für sie eine entsprechende Mitteilung hinterlassen, aber da ich keine Adresse hatte, musste ich den Zettel als Kurierpost in den Orangengarten bringen, aus dem sie ihren Gruß geschickt hatte.

War das nicht irgendwie dasselbe? Hatte sie nicht auch Regeln gebrochen? Was meinst du, Georg? Du kannst die Regeln dieses Märchens sicher ebenso gut deuten wie ich.

Andererseits: sie hatte mich schließlich gebeten, *noch ein wenig* zu warten. Im Grunde hatte sie damit unseren Pakt nur erneuert. Und ich hatte geantwortet, dass ich die Bedingungen nicht akzeptieren könne, oder dass ich mich nicht mehr an die Regeln halten wolle.

Sie hatte geschrieben: *Ich denke an dich. Kannst du noch ein wenig warten?*

Aber, Georg: Wenn die ehrliche Antwort auf diese Frage lautete, dass ich *nicht* mehr warten konnte, was sollte ich dann ihrer Meinung nach tun?

Nein, ich konnte das nicht beurteilen. Dazu steckte ich zu tief in der Sache drin. Jetzt musste ich sie einfach finden.

Ich war noch nie in Sevilla oder auch nur in Spanien gewesen. Aber bald folgte ich dem Touristenstrom in das alte jüdische Viertel. Es heißt *Santa Cruz* und sah aus wie ein einziges großes Tempelgebiet zu Ehren der Kulturpflanze Orange. Alle Plätze und Märkte waren von Orangenbäumen umkränzt.

Nachdem ich von einem Platz zum anderen gewandert war, ohne das Orangenmädchen zu finden, setzte ich mich schließlich in ein Café, wo ich einen freien Stuhl im Schatten eines üppigen Orangenbaumes fand. Ich hatte alle Plätze von Santa

Cruz besucht und dieser war einwandfrei der schönste. Er hieß *Plaza de la Alianza.*

Ich blieb sitzen und dachte über Folgendes nach: Wenn man in einer großen Stadt einen Menschen sucht und keine Ahnung hat, wo in der Stadt sich dieser Mensch befinden mag, ist es dann besser, von einem Ort zum anderen zu irren, oder werden wir die gesuchte Person eher treffen, wenn wir uns an eine zentrale Stelle setzen und dort warten, bis die Gesuchte von selbst auftaucht?

Lies diesen Satz zweimal, ehe du dir eine Meinung bildest, Georg. Aber ich kam zu folgendem Schluss: Der allerschönste Stadtteil von Sevilla ist Santa Cruz und der allerschönste Platz in diesem Stadtteil ist die Plaza de la Alianza. Wenn das Orangenmädchen so dachte wie ich, musste sie früher oder später genau hier auftauchen. Wir waren uns in einem Café in Oslo begegnet. Und wir waren uns im Dom begegnet. Wenn das Orangenmädchen und ich eins gut konnten, dann war es, uns zufällig über den Weg zu laufen.

Ich beschloss, sitzen zu bleiben. Es war erst drei Uhr, ich konnte mindestens acht Stunden auf der Plaza de la Alianza verbringen. Mir kam das nicht vor wie eine lange Wartezeit. Ehe ich Oslo verlassen hatte, hatte ich mir hier in der Nähe in einer kleinen Pension ein Zimmer bestellt. Ich musste um Mitternacht im Haus sein, denn dann wurden die Türen abgeschlossen. (Sogar spanische Pensionen haben Regeln, die man einhalten muss!) Wenn das Orangenmädchen an diesem ersten Tag nicht bis Mitternacht hier auftauchte, dann wollte ich auch den nächsten Tag auf dem Platz verbringen, ich wollte von Sonnenaufgang bis Sonnenuntergang dort auf sie warten.

Und ich wartete und wartete. Ich sah mir alle Menschen an, die auf dem Platz kamen und gingen, Einheimische und Zugereiste. Mir ging auf, dass die Welt schön ist. Wieder hatte ich so ein euphorisches Gefühl, das alles in meiner Umgebung einbezog. Denn wer sind wir, die wir hier leben? Jeder einzelne Mensch auf diesem Platz war wie eine lebende Schatztruhe voller Gedanken und Erinnerungen, Träume und Sehnsüchte. Ich selbst stand mitten im Herzen meines eigenen Lebens auf der Erde, aber das galt natürlich auch für alle anderen Menschen hier auf dem Platz. Für den Kellner zum Beispiel, es war seine Aufgabe, alle zu bedienen, die sich in sein Café setzten, und nachdem ich den vierten Kaffee bestellt hatte, beschlich mich das Gefühl, dass er fand, ich belegte diesen Tisch schon zu lange mit Beschlag, ich saß hier inzwischen seit drei oder vier Stunden. Als nach einer weiteren halben Stunde die vierte Tasse leer war, fragte er jedenfalls sofort höflich, ob ich zu bezahlen wünschte. Aber ich konnte doch nicht gehen, ich wartete auf das Orangenmädchen, und so bestellte ich sicherheitshalber eine große Portion Tapas und eine Cola. Kein Bier oder Wein, solange das Orangenmädchen noch nicht da ist, dachte ich; dann würden wir Champagner trinken. Aber kein Orangenmädchen tauchte auf. Es wurde sieben Uhr, und ich hatte das Gefühl, nun doch um die Rechnung bitten zu müssen. Ich sah plötzlich ein, wie naiv ich gewesen war. Ich hatte vor vielen Tagen zu Hause im Humlevei die Karte aus Sevilla aus dem Briefkasten geholt und sie hatte viele Tage gebraucht, um dorthin zu gelangen.

Das Orangenmädchen kam mir ebenso unerreichbar vor

wie bisher, sie hatte natürlich etwas anderes zu tun, als mit mir Katz und Maus zu spielen, vielleicht studierte sie Spanisch in Madrid oder Salamanca. Ich hatte meine Rechnung bezahlt, jetzt konnte ich gehen. Ich war enttäuscht über meine mangelnde Urteilskraft, und mit einem Kloß im Hals beschloss ich, schon am nächsten Morgen nach Norwegen zurückzufliegen.

Ich weiß nicht, ob du je dieses brennende Gefühl hattest, dass etwas einfach umsonst war. Vielleicht bist du in Schnee und Regen von zu Hause losgegangen und in die Stadt gefahren, um etwas zu besorgen, was du dringend brauchtest, und dann standest du zwei Minuten nach Ladenschluss vor der Tür. So etwas ist ärgerlich und wir ärgern uns vor allem über unsere eigene Dummheit. Dieses peinliche Gefühl, dass alles umsonst gewesen war, überkam mich jetzt, und ich war nicht nur mit der Straßenbahn in die Stadt gefahren. Ich war den weiten Weg nach Sevilla gereist, ohne einen anderen Anhaltspunkt als eine Postkarte, ich kannte hier keinen Menschen, bald würde ich mich in eine schäbige Pension verkriechen müssen und ich sprach so gut wie kein Spanisch. Ich hätte mir gern selber eine kräftige Ohrfeige verpasst, obwohl das so blöd ausgesehen hätte, dass alles noch viel peinlicher geworden wäre, aber ich beschloss, mich auf andere Weise zu bestrafen, da gab es schließlich viele Möglichkeiten, ich konnte mich zum Beispiel dazu verurteilen, nie mehr etwas mit diesem »Orangenmädchen« zu tun zu haben, in meinem ganzen Leben nicht, was auch immer passieren mochte.

Und dann kam sie, Georg! Es war halb acht und sie stand plötzlich auf der Plaza de la Alianza!

Viereinhalb Stunden, nachdem ich mich unter einen Orangenbaum gesetzt hatte, kam das Orangenmädchen auf den Orangenplatz geflattert. Nicht in ihrem alten Anorak natürlich, in Andalusien herrscht schließlich subtropisches Klima. Sie trug ein kleines Märchen von Sommerkleid, es war so flammend rot wie die Bougainvilleen, die ich auf einer hohen Mauer im Hintergrund betrachtet hatte. Vielleicht hatte sie dieses Kleid von Dornröschen geliehen, dachte ich, oder einer Fee gestohlen.

Sie hat mich noch nicht gesehen. Die Dunkelheit senkt sich jetzt über den Platz. Es ist warm, sehr warm, aber ich friere trotzdem, ich habe eine Gänsehaut.

Aber dann, Georg – ich kann dir das alles nicht ersparen –, dann geht mir auf, dass sie mit einem jungen Mann zusammen gekommen ist, er ist vielleicht fünfundzwanzig Jahre alt. Er ist groß, sieht gut aus und hat einen üppigen blonden Bart. Er sieht ganz einfach aus wie ein Polfahrer. Und was mich am allermeisten stört, ist, dass er gar nicht besonders unsympathisch aussieht.

Also habe ich verloren. Aber das ist meine eigene Schuld. Ich habe mich nicht an die Regeln gehalten. Ich habe ein feierliches Versprechen gebrochen. Ich habe in etwas eingegriffen, das nicht mir gehört, in ein Märchen, das seine Regeln nicht mit mir teilt. »Du musst es schaffen, ein halbes Jahr zu warten«, hatte sie gesagt. »Wenn du so lange warten kannst, können wir uns wieder sehen ...«

Als sie mich entdecken, sehe ich sicher aus wie der Herd, aus dem Aschenbrödel die Asche kratzen musste, ehe der Prinz sie vom Joch der Stiefmutter und der bösen Stiefschwestern befreite. Ich sage, dass *sie* mich entdecken, denn das Oran genmädchen sieht mich aus irgendeinem Grund nicht als Erste. Wer mich zuerst bemerkt, das ist der Mann mit dem Bart. (Kannst du das alles begreifen, Georg? Ich konnte es nicht.) Er packt das Orangenmädchen am Arm, zeigt auf mich und sagt laut und deutlich, sodass der ganze Platz es hören kann: »Jan Olav!« Ich höre an seiner Aussprache, dass er Däne ist. Ich habe ihn noch nie gesehen.

Was jetzt passiert, geht ganz schnell, du musst trotzdem versuchen, es dir vorzustellen. Das Orangenmädchen entdeckt mich unter dem Orangenbaum. Sie bleibt für zwei Sekunden bei einem großen Springbrunnen mitten auf dem Platz stehen und starrt mich einfach an, sie ist wie gelähmt und sieht schon nach einer Sekunde aus, als hätte sie seit ein oder zwei Stunden in dieser Haltung verharrt und könnte sich nicht losreißen. Doch dann reißt sie sich los. Dornröschen hat hundert Jahre geschlafen, aber nun ist sie so wach, als wäre sie erst vor einer halben Sekunde eingenickt. Sie kommt auf mich zugerannt, legt mir den Arm um den Hals und wiederholt das, was der Däne schon gesagt hat: »Jan Olav!«

Dann ist der Däne an der Reihe, Georg. Er kommt zu meinem Tisch geschlendert, reicht mir eine kräftige Hand und sagt freundlich: »Nett, dir mal wirklich zu begegnen, Jan Olav!« Das Orangenmädchen hat sich schon gesetzt und der Däne legt ihr die Pranke auf die Schulter und sagt: »Dann empfehle ich mich mal!« Mit diesen Worten räumt er das Feld, er geht rückwärts aus dem Café, wendet uns schließlich den Rücken zu und trottet den Weg über den Platz zurück, auf dem er gekommen ist. Und ist verschwunden. Ja, und wir sind ihn los. Die guten Feen halten eben zu mir.

Sie sitzt mir gegenüber am Tisch. Sie hat ihre beiden Hände in meine gelegt. Sie lächelt warm, vielleicht ein wenig aufgeregt, aber auf jeden Fall warm.

»Du hast es nicht geschafft«, sagt sie. »Du hast es nicht geschafft, auf mich zu warten.«

»Nein«, gebe ich zu. »Denn jetzt blutet mir vor Kummer das Herz.«

Ich sehe sie an, sie lächelt noch immer. Ich versuche ebenfalls zu lächeln, aber das gelingt mir nicht recht.

»Also habe ich die Wette verloren«, füge ich hinzu.

Sie denkt nach und sagt dann: »Ab und zu müssen wir es im Leben einfach schaffen, uns ein wenig zu sehnen. Ich habe dir geschrieben. Ich habe versucht, dir die Kraft zu geben, die du brauchtest, um dich noch ein wenig zu sehnen.«

Ich merke, dass meine Schultern zucken. »Also habe ich verloren«, sage ich noch einmal.

»Du warst jedenfalls ungehorsam«, sagt sie mit einem unsicheren Lächeln. »Aber vielleicht ist doch noch nicht alles verloren.«

»Wie wäre das möglich?«

»Es ist wie vorher. Die Frage ist, wie viel Geduld du hast.«

»Ich begreife gar nichts«, sage ich.

Sie drückt zärtlich meine beiden Hände. »Was *begreifst* du denn nicht, Jan Olav?«, sagt sie nur, sie flüstert, sie haucht.

»Die Regeln«, sage ich. »Ich begreife die Regeln nicht.«

Und damit hatte unser langes Gespräch seinen Anfang genommen.

Georg! Ich brauche jetzt nicht alles aufzuzählen, was wir an diesem Abend und in dieser Nacht zueinander gesagt haben, ich könnte mich wohl auch nicht an alles erinnern. Ich weiß außerdem, dass du eine Menge Fragen hast, auf die du so schnell wie möglich eine Antwort hören willst.

So ungefähr das Erste, wofür ich eine Erklärung verlangte, war, woher das Orangenmädchen die Adresse meiner Eltern kannte. Die Ansichtskarte aus Sevilla war noch nicht lange her. Ich schaute sie fragend an und sie fragte mit sanfter Stimme: »Jan Olav… kannst du dich wirklich nicht an mich erinnern?«

Ich musterte sie. Ich versuchte sie so zu sehen, als wäre das hier unsere allererste Begegnung. Ich schaute nicht nur in die dunklen Augen, ich musterte nicht nur ihr viel sagendes Gesicht. Ich ließ meinen Blick über ihre nackten Schultern gleiten, sie hatte nichts dagegen, und ich betrachtete ihr luftiges Kleid. Aber es war keine leichte Aufgabe, mich aus einem anderen Zusammenhang an sie zu erinnern als den wenigen Malen, die wir uns vor Weihnachten getroffen hatten. Wenn ich dem Orangenmädchen früher im Leben begegnet war, dann konnte ich mich jetzt einfach nicht daran erinnern, denn hier an diesem Tisch konnte ich nur daran denken, wie unendlich schön sie war. Gott hat sie erschaffen, dachte ich, oder vielleicht war es auch Pygmalion, dieser sagenhafte Grieche, der sich eine Traumfrau aus Marmor geschaffen hatte und dann erbarmte sich die Liebesgöttin und machte die Skulptur lebendig. Bei unserer letzten Begegnung hatte das Orangenmädchen einen Hut und einen schwarzen Wintermantel getragen. Jetzt war sie so dünn angezogen, dass es mich verlegen machte, ich hatte das Gefühl, ihr fast zu nah zu kommen. Und dennoch erkannte ich sie nicht, oder vielleicht lag es auch gerade daran.

»Kannst du nicht versuchen, dich an mich zu erinnern?«, wiederholte sie. »Ich möchte so gern, dass du das schaffst.«

»Hast du ein Stichwort?«, bat ich.

Sie sagte: »Der Humlevei, du Dussel.«

Der Humlevei. Da war ich aufgewachsen. Da war ich geboren. Ich hatte mein Leben lang im Humlevei gewohnt. In Adamstuen hauste ich erst seit einem halben Jahr.

»Oder der Irisvei«, sagte sie.

Das war dieselbe Gegend. Der Irisvei ging vom Humlevei ab.

»Kløvervei vielleicht!«

Auch das war in der Nachbarschaft. Als ich klein war, hatte ich oft in einem Park zwischen den Häusern im Kløvervei gespielt. Es gab dort viele Büsche und Bäume. Ich glaube, dort standen auch ein Sandkasten und eine Wippe. Vor einigen Jahren waren Bänke dazugekommen.

Wieder sah ich das Orangenmädchen an. Dann fuhr ich zusammen, es war ungefähr so, wie aus einer tiefen Hypnose aufzuwachen. Ich presste ihre Hände zusammen. Fast wäre ich in Tränen ausgebrochen. Dann sagte ich es. »Veronika!«, rief ich.

Sie lächelte strahlend. Aber ich frage mich, ob sie sich nicht gleich darauf eine Träne aus dem Augenwinkel wischte.

Ich sah ihr in die Augen und jetzt irrte mein Blick nicht mehr umher. Nichts konnte mich jetzt noch zurückhalten, ich ließ alle Hemmungen fahren. Plötzlich wagte ich es, mich ihr nackt zu zeigen. Ich wagte es, mich dem Orangenmädchen vorbehaltlos hinzugeben. Und für mich war das eine große Erleichterung.

Vielleicht gibt es keine Intimität, die zwei Blicken gleichkommt, die einander gleichzeitig mit Festigkeit und Entschlossenheit begegnen und dabei einfach nicht loslassen wollen.

Das Mädchen mit den braunen Augen hatte im Irisvei gewohnt. Wir waren fast jeden Tag zusammen gewesen, seit wir Laufen oder zumindest Sprechen gelernt hatten. Wir kamen in dieselbe Schulklasse, aber nach dem ersten Weihnachtsfest unserer Schulzeit war Veronika mit ihrer Familie in eine andere Stadt gezogen, damals waren wir sieben. Es war also erst zwölf oder dreizehn Jahre her. Aber seither hatten wir uns nie wieder gesehen.

Immer hatten wir in dem Park im Kløvervei zwischen Büschen und Blumen, Bänken und Bäumen gespielt. Dort hatten wir unser Eichhörnchenleben geführt – ja, ein ganzes Eichhörnchenleben. Wenn Veronika damals nicht weggezogen wäre, hätte die sorglose Kindheit dennoch bald ein Ende gefunden. Ich hatte mir auf dem Schulhof schon öfter anhören müssen, dass ich lieber mit Mädchen spielte.

Mir fiel ein Lied ein, das wir bei ihr oder bei mir zu Hause gehört hatten und das wir beim Spielen immer wieder sangen: *Ist hier wohl ein kleiner Mann, der mit kleinen Frauen spielen kann? Dann spielen sie am Ende gleich in ihrem kleinen Traumesreich ...*

»Aber du hast mich nicht erkannt«, sagte sie jetzt, es ließ

sich nicht überhören, dass sie deshalb noch immer enttäuscht war, fast schon ein bisschen sauer. Plötzlich sprach eine Siebenjährige zu mir, keine erwachsene Frau von zwanzig Jahren.

Ich musste sie immer wieder ansehen. Ich fand ihr rotes Kleid so ungeheuer reizend und rührend. Ich konnte sehen, wie ihr Körper atmete, denn das Kleid hob und senkte sich, hob und senkte sich, fast wie die Meereswellen an einem schönen Strand, und der Strand war das Kleid.

Ich schaute nach oben. Und mein Blick fiel zwischen den Blättern eines Orangenbaumes auf einen gelben Schmetterling. Es war nicht der erste, den ich an diesem Tag sah. Er war einer von vielen.

Jetzt zeigte ich auf ihn und sagte: »Wie sollte ich denn eine kleine Larve erkennen, nachdem sie längst zum Schmetterling geworden ist?«

»Jan Olav!«, sagte sie streng. Weitere Worte wurden über diese Verwandlung vom Kind zur Frau nicht verloren.

Ich hatte noch immer viele unbeantwortete Fragen. Meine Begegnung mit dem Orangenmädchen hatte mich fast zum Wahnsinn getrieben, sie hatte jedenfalls mein ganzes Dasein ins Wanken gebracht.

»Wir sind uns in Oslo begegnet. Dreimal haben wir uns gesehen und ich habe seither fast an nichts anderes gedacht. Dann bist du verschwunden, einfach weggeflogen. Es war schwieriger, dich festzuhalten als einen Schmetterling einzufangen. Aber warum musste es sechs Monate dauern, bis wir uns wiedersehen durften?«

Weil sie ein halbes Jahr in Sevilla verbringen wollte, natürlich. Das hatte ich ja auch schon begriffen. Aber warum wollte sie unbedingt ein halbes Jahr in Sevilla verbringen? Steckte da vielleicht dieser Däne dahinter?

Du kannst dir ihre Antwort sicher denken, Georg. Ich konnte es nicht, aber du weißt ja, was Veronika wichtig ist. Während ich diesen langen Brief an dich geschrieben habe, habe ich mich immer gefragt, ob das große Bild mit den Orangenbäumen wohl noch in der Diele hängt. Sie sagt immer, sie sei über dieses Bild hinausgewachsen – das sagt sie jetzt, während ich das schreibe –, aber deinetwegen hoffe ich, dass sie es nicht verschenkt oder auf den Dachboden verbannt. Und wenn doch, dann solltest du danach fragen.

Sie sagte: »Ich habe hier einen Platz an einer Kunstschule, genauer gesagt an einer Schule für Malerei. Ich wollte diesen Kurs unbedingt machen, er war so wichtig für mich.«

»Schule für Malerei?«, wiederholte ich. Ich war verdutzt. »Aber warum konntest du das am Heiligen Abend nicht sagen?«

Als sie nicht sofort antwortete, sagte ich: »Weißt du noch, wie es geschneit hat? Weißt du noch, dass ich deine Haare gestreichelt habe? Weißt du noch, dass plötzlich die Glocken läuteten, als das Taxi kam? Und dann warst du verschwunden!«

Sie sagte: »Das weiß ich alles noch. Es kommt mir vor wie ein Film. Wie die allerersten Szenen in einem sehr... romantischen Film.«

»Dann begreife ich nicht, warum du so geheimnisvoll tun musstest«, erklärte ich.

Jetzt sah ihr Gesicht für einen Moment ernst aus. Sie sagte: »Ich glaube, ich habe schon damals in der Straßenbahn ein

Auge auf dich geworfen. Aufs Neue, könntest du vielleicht sagen, aber jetzt ganz anders als damals. Und dann haben wir uns wieder gesehen. Aber ich glaubte, wir könnten es ertragen, ein halbes Jahr voneinander getrennt zu sein. Ich dachte, dass wir das vielleicht brauchten. Wir haben uns als Kinder so nahe gestanden. Aber jetzt sind wir keine Kinder mehr. Jetzt könnte es uns vielleicht gut tun, ein wenig Sehnsucht nacheinander zu haben. Damit wir nicht einfach nur aus alter Gewohnheit wieder zusammen spielen, meine ich. Du solltest mich noch einmal entdecken. Du solltest mich erkennen, so, wie ich dich erkannt hatte. Und deshalb wollte ich nicht verraten, wer ich war.«

Ich weiß nicht mehr genau, was ich geantwortet habe, und ich weiß auch nicht mehr genau, was das Orangenmädchen alles sagte, aber je länger wir miteinander sprachen, desto häufiger sprangen wir von einer Episode zur anderen, von Thema zu Thema.

»Und der Däne?«, fragte ich bei passender Gelegenheit. Ich hatte das Gefühl, um etwas zu bitten. Das war blöd. Ich kam mir so kleinlich vor.

Sie antwortete kurz, fast streng. Sie sagte: »Er heißt Mogens. Er besucht denselben Kurs. Er ist sehr talentiert. Und es ist nett, dass hier noch ein Skandinavier ist.«

In meinem Kopf drehte sich alles. Ich fragte: »Aber woher wusste er meinen Namen?«

Ich habe mich oft gefragt, ob sie nun nicht ein wenig errötete, aber ich weiß es nicht, vielleicht war das wegen des roten Kleides nicht so leicht zu sehen, und jetzt war es außerdem ganz dunkel, nur zwei schmiedeeiserne Laternen warfen einen goldenen Schimmer über den Platz. Wir hatten eine Flasche Rotwein aus der Ribera del Duero bestellt und hielten unsere Gläser in den Händen.

Sie sagte: »Ich habe ein Porträt von dir gemalt. Zwar nur aus dem Gedächtnis, aber es sieht dir ähnlich. Mogens gefällt es. Ich werde es dir einmal zeigen. Es heißt einfach *Jan Olav*.«

Es war also Veronika, die ihr Gesicht auf die Ansichtskarte gezeichnet hatte. Danach brauchte ich sie gar nicht zu fragen. Aber es gab noch immer etwas, das mir zu schaffen machte. Ich sagte: »Der in dem weißen Toyota war also nicht Mogens?«

Sie lachte. Und schien das Thema wechseln zu wollen. Sie sagte: »Du hast doch wohl nicht geglaubt, ich hätte dich damals auf dem Youngstorg nicht gesehen? Ich war doch nur deinetwegen dort!«

Das begriff ich nicht. Ich fand, dass sie in Rätseln sprach. Aber sie erzählte: »Zuerst sind wir uns in der Straßenbahn begegnet. Dann habe ich in der Stadt herumgeschnüffelt und dein Stammcafé ausfindig gemacht. Ich war noch nie dort gewesen, aber eines Tages habe ich mich einfach hineingesetzt, nachdem ich mir ein Buch mit Bildern des spanischen Malers Velázquez gekauft hatte. Ich habe einfach in dem Buch geblättert. Und gewartet.«

»Auf mich?«

Ich wusste, dass das eine dumme Frage war. Sie antwortete fast gereizt: »Du glaubst doch wohl nicht, der Einzige zu sein, der sucht? Ich gehöre schließlich auch in diese Geschichte. Ich bin nicht nur ein Schmetterling, den du fangen sollst.«

Ich wagte nicht, genauer auf solche Fragen einzugehen, bis

auf weiteres fand ich sie zu gefährlich. Ich fragte nur: »Aber was war nun mit dem Youngstorg?«

»Sei nicht albern, Jan Olav. Das habe ich doch schon erklärt. Wo ist Jan Olav?, dachte ich. Und wohin wird er gehen, um mich zu suchen, wenn er mich wirklich suchen will, zum Beispiel nachdem er mich zweimal mit einer großen Tüte Orangen gesehen hat? Ich konnte nicht sicher sein, aber vielleicht würdest du mich ja auf dem größten Obstmarkt der Stadt suchen. Ich habe dort oft nach dir Ausschau gehalten. Aber ich war auch anderswo. Ich war im Kløvervei und im Humlevei. Einmal habe ich deine Eltern besucht. Ich bereute das sofort, als sie die Tür aufmachten, aber da war es schon geschehen. Ich sagte etwas über Elternhäuser und alte Jagdgründe. Und ich brauchte nicht einmal meinen Namen zu nennen. Das solltest du dir vielleicht hinter die Ohren schreiben. Sie wollten mich hereinbitten, aber ich sagte, ich hätte keine Zeit. Und ich habe ihnen von dem Kurs in Sevilla erzählt.«

Ich wusste nicht, ob ich das alles glauben sollte. »Mir haben sie kein Wort davon verraten«, sagte ich.

Sie zeigte ein rätselhaftes Lächeln. Ich fand, dass sie ein wenig Ähnlichkeit mit der Mona Lisa hatte, aber das lag vielleicht daran, dass ich jetzt wusste, dass sie eine Schule für Malerei besuchte. Sie sagte: »Ich habe sie darum gebeten, dir nichts zu erzählen. Ich musste mir sogar einen Grund aus den Fingern saugen, weswegen du das nicht wissen durftest.«

Ich war stumm. Ich hatte vor einigen Tagen meinen Eltern die Karte zeigen müssen, die ich aus Sevilla bekommen hatte. Ich war doch zu ihnen ins Zimmer gestürzt und hatte behauptet, dass ich heiraten wolle. Erst jetzt ging mir auf, warum sie mir so bereitwillig das Geld für den Flug geliehen hatten. Sie hatten nicht mit einem einzigen Wort gefragt, ob es klug sei, mitten im Semester nach Sevilla zu reisen, nur um ein Mädchen zu suchen, das mir in Oslo dreimal begegnet war.

Das Orangenmädchen erzählte weiter: »Es ist nicht leicht, in einer großen Stadt einen bestimmten Menschen zu finden, und schon gar nicht, ihm über den Weg zu laufen, wenn wir uns das gerade wünschen. Und manchmal wünschen wir uns das eben. Ich wollte diesen Kurs besuchen und konnte mich doch nicht so kurz vor meiner Abreise binden. Aber wenn zwei Menschen vor allem damit beschäftigt sind, nacheinander Ausschau zu halten, dann ist es kein großes Wunder, wenn sie sich zufällig begegnen.«

Ich wechselte das Thema. Ich meine, ich wechselte die Arena.

»Warst du früher schon mal zum Weihnachtsgottesdienst im Dom?«, fragte ich.

Sie schüttelte den Kopf. »Nein, nie. Und du?«

Ich schüttelte ebenfalls den Kopf.

Sie sagte: »Genauer gesagt, war ich schon in dem um zwei. Dann bin ich durch die Stadt gewandert und habe auf den nächsten gewartet. Diesmal musstest du einfach auftauchen. Es war doch Weihnachten und ich würde das Land bald verlassen.«

Ich glaube, wir schwiegen dann eine Weile. Aber ich musste einen roten Faden wieder aufgreifen. Ich fragte: »Der in dem Toyota war also nicht Mogens?«

»Nein«, sagte sie.

»Aber wer war es denn?«

Sie zögerte kurz, ehe sie antwortete: »Niemand.«

Ich fragte: »Niemand?«

»Es war eine Art Verflossener. Wir sind auf dem Gymnasium in eine Klasse gegangen.«

Ich glaube, ich habe gelächelt. Trotzdem sagte sie: »Wir können nicht die Vergangenheit des anderen besitzen, Jan Olav. Die Frage ist, ob wir eine gemeinsame Zukunft haben.«

Jetzt sagte ich etwas schrecklich Albernes, was vielleicht daher kam, dass ich zu glauben wagte, das Orangenmädchen und ich könnten eine gemeinsame Zukunft haben. Ich sagte: »To be two or not to be two, that is the question.«

Ich glaube, sie fand das auch nicht gerade genial. Um die Verlegenheit zu überspielen, wechselte ich wieder das Thema. Ich sagte: »Aber die ganzen Orangen? Was wolltest du damit? Ja, was wolltest du mit den ganzen Orangen?«

Sie lachte herzlich. Dann sagte sie: »Ja, das möchtest du sicher wissen. Ich habe dich mit den Orangen zum Youngstorg gelockt. Und deshalb hast du mit mir über eine Wanderung durch das grönländische Eis gesprochen. Mit acht Schlittenhunden und zehn Kilo Orangen.«

Ich sah keinen Grund, das abzustreiten. Aber ich fragte noch einmal: »Was wolltest du mit den ganzen Orangen?«

Jetzt schaute sie mir in die Augen, ungefähr wie damals im Café in Oslo. Ziemlich langsam sagte sie: »Ich wollte sie malen.«

Sie malen? Ich staunte. »Alle zusammen?«

Sie nickte elegant. Dann sagte sie: »Ich musste Orangen malen üben, ehe ich den Kurs in Sevilla antreten konnte.«

»Aber so viele?«

»Ich sollte viele Orangen malen, ja. Dafür habe ich trainiert.«

Ich schüttelte verzweifelt den Kopf. Wollte sie mich zum Narren halten? Ich sagte: »Aber hättest du nicht eine Orange kaufen und die mehrere Male malen können?«

Sie legte den Kopf schräg und sagte beinahe resigniert: »Ich fürchte, in der kommenden Zeit werden wir sehr viel zu besprechen haben, denn auf einem Auge bist du womöglich blind.«

»Auf welchem denn?«

»Keine zwei Orangen sind gleich, Jan Olav. Nicht einmal zwei Grashalme sind genau gleich. Deshalb bist du jetzt hier.«

Ich kam mir blöd vor. Ich konnte nicht verstehen, was sie meinte. »Weil keine zwei Orangen gleich sind?«

Sie sagte: »Du bist doch nicht den ganzen Weg nach Sevilla gekommen, um *eine Frau* zu finden. Dafür hast du einen gewaltigen Umweg gemacht, in Europa wimmelt es nämlich von Frauen. Aber du wolltest *mich* finden. Und mich gibt es nur einmal. Ich habe die Karte aus Sevilla ja auch nicht an *einen Mann* in Oslo geschickt. Sondern an *dich*. Ich habe dich gebeten, an mir festzuhalten. Und mir ein wenig Vertrauen zu schenken.«

Wir saßen noch lange dort, nachdem das Café Feierabend gemacht hatte. Als wir endlich aufstanden, zog sie mich an den Stamm des Orangenbaums, unter dem wir gesessen hatten, oder vielleicht schob ich sie dorthin, das weiß ich nicht mehr so genau. Aber dann sagte sie: »Jetzt kannst du mich küssen, Jan Olav. Denn jetzt habe ich dich endlich eingefangen.«

Ich legte die Hände um ihren Rücken und küsste sie leicht auf den Mund. Sie sagte: »Nein, du musst mich richtig küssen! Und dann musst du mich in den Arm nehmen!«

Ich gehorchte. Schließlich setzte das Orangenmädchen die Regeln fest. Sie schmeckte nach Vanille. Ihre Haare dufteten frisch wie Zitronen.

Ich hatte den klaren Eindruck, dass hoch oben in der Krone des Orangenbaums zwei ausgelassene Eichhörnchen herumturnten. Ich weiß nicht sicher, was sie für ein Spiel spielten, aber sie waren ganz davon in Anspruch genommen.

Ich werde nicht mehr sehr viel über diesen Abend schreiben, Georg, das sollte ich dir vielleicht ersparen. Aber wie die Nacht endete, musst du dir doch noch anhören.

Ich war natürlich nicht vor Mitternacht in meiner Pension. Das Orangenmädchen hatte bei einer alten Dame ein Zimmerchen mit Teeküche gemietet. An den Wänden hingen mehrere Aquarelle, die Orangenblüten und Orangenbäume zeigten. Und in einer Ecke stand ein großes Ölporträt von mir. Zu diesem Bild sagte ich nichts und sie sagte auch nichts. Es wäre der Magie dieses Märchens zu nahe getreten. Nicht alles musste in Worte gefasst werden. So lauteten die Regeln. Aber ich dachte, sie habe mich mit zu großen und zu blauen Augen gemalt. Sie schien meine ganze Persönlichkeit in den Augen untergebracht zu haben.

Bis spät in die Nacht hinein erzählte ich Veronika lange Geschichten mit vielen witzigen Details. Ich erzählte von einer kranken Pastorentochter mit vier Schwestern, zwei Brüdern und einem depressiven Labrador. Ich erzählte die Geschichte einer dramatischen Skitour durch Grönland, mit acht Schlittenhunden und zehn Kilo Orangen. Ich erzählte alles über die tatkräftige Frau, die als Geheimagentin für die Orangeninspektion der UNO tätig war und ihren einsamen, tapferen Kampf gegen ein neues, gefährliches Orangenvirus ausfocht. Ich erzählte alles, was ich über die Kindergärtnerin wusste, die jeden Tag auf dem Markt 36 absolut identische Orangen erstehen musste. Ich verbreitete mich über eine junge Dame, die für hundert BWL-Studenten Orangenpudding zubereiten sollte. Ich erzählte die ganze Lebensgeschichte der Neunzehnjährigen, die mit einem solchen Studenten verheiratet war und mit ihm schon eine Tochter bekommen hatte – so abstoßend dieser Mann vielen auch erscheinen mochte. Und ich erzählte von der mutigen und opferbereiten Frau, die insgeheim für arme Kinder Lebensmittel und Medikamente nach Afrika schmuggelte.

Das Orangenmädchen antwortete mit Erinnerungen an unsere Kindheit in Humlevei und Irisvei. Ich hatte das fast alles vergessen, aber als sie davon erzählte, fiel es mir wieder ein.

Als wir erwachten, stand die Sonne hoch am Himmel. Das Orangenmädchen wurde als Erste wach, und ich werde nie vergessen, was es für ein Gefühl war, von ihr geweckt zu werden. Ich wusste nicht mehr, was Fantasie war und was Wirklichkeit, vielleicht war diese Grenze jetzt aufgehoben. Ich wusste nur, dass ich nicht mehr nach dem Orangenmädchen suchen musste. Denn ich hatte sie gefunden.

Das hatte ich auch. Jetzt wusste ich, wer das Orangenmädchen war, und ich hätte es schon lange erraten können, ehe ich erfuhr, dass sie Veronika hieß …

Als ich bis hierhin gelesen hatte, klopfte Mama wieder an die Tür. Sie sagte: »Es ist halb elf, Georg. Wir haben den Tisch gedeckt. Hast du noch viel zu lesen?«

Ich sagte ein wenig feierlich: »Liebes kleines Orangenmädchen. Ich denke an dich. Kannst du noch ein wenig warten?«

Ich konnte sie durch die Tür ja nicht sehen. Aber ich hörte, wie sie verstummte.

Ich sagte: »Ab und zu müssen wir es im Leben einfach schaffen, uns ein wenig zu sehen.«

Als keine Antwort kam, fügte ich hinzu: »Ist hier wohl ein kleiner Mann...«

Auf der anderen Seite der Tür herrschte noch immer tiefes Schweigen. Aber dann hörte ich, wie Mama sich gegen das Holz presste. Sie sang mit leiser Stimme gegen den Türrahmen: »... der mit kleinen Frauen spielen kann...«

Mehr konnte sie aber nicht mehr singen, denn jetzt musste sie weinen. Sie weinte und flüsterte.

Ich flüsterte zurück: »Dann spielen sie am Ende gleich in ihrem kleinen Traumesreich...«

Sie atmete schwer und sagte dann schniefend: »Schreibt er wirklich... darüber?«

»Er hat geschrieben«, sagte ich.

Dazu sagte sie nichts, aber ich konnte der Türklinke ansehen, dass sie noch draußen stand.

»Ich komme gleich, Mama«, flüsterte ich. »Ich habe nur noch fünfzehn Seiten.«

Auch jetzt schwieg sie. Vielleicht brachte sie kein Wort heraus. Ich wusste ja nicht, was ich da draußen angerichtet hatte.

Armer Jørgen, dachte ich. Dieses eine Mal muss er sich

damit abfinden, dass er an zweiter Stelle kommt. Miriam
schlief. Jetzt sprachen mein Vater, meine Mutter und ich mit-
einander. Einmal waren wir eine kleine Familie im Humlevei
gewesen. Und im Wohnzimmer saßen außerdem meine Groß-
eltern, die dieses Haus einst gebaut hatten. Jørgen war hier
nur zu Besuch.

Ich überlegte mir genau, was ich alles gelesen hatte. Ein wich-
tiger Beweis war schon erbracht worden. Mein Vater hatte mich
nicht zum Narren gehalten. Er hatte sich kein Märchen über
ein Orangenmädchen ausgedacht. Vielleicht hatte er mir nicht
alles erzählt. Aber alles, was er erzählt hatte, war die reine
Wahrheit.

Ich konnte mich allerdings nicht daran erinnern, jemals in
der Diele ein Bild mit Orangenbäumen gesehen zu haben. Ich
konnte mich an kein einziges Orangenbild erinnern. Ich hatte
nur die vielen anderen Bilder gesehen, die Mama gemalt
hatte. Ich hatte Aquarelle der Fliederbüsche und Kirschen in
unserem eigenen Garten gesehen.

Es gab noch mehrere Dinge dieser Art, über die ich mit ihr
sprechen musste. Oder ich musste auf dem Dachboden selbst
nachsehen. Aber ich hatte immer gewusst, dass Mama als Kind
im Irisvei gewohnt hatte. Ich war einmal in dem gelben Haus
gewesen, um einen falsch zugestellten Brief abzuliefern.

Vielleicht würde ich mehr über die Orangenbilder erfah-
ren, wenn ich nur weiterläse. Und dann gab es noch eine wich-
tige Frage: Würde mein Vater mehr über das Hubble-Teles-
kop schreiben?

Das Hubble-Teleskop verdankt seinen Namen dem Astro-

nomen *Edwin Powel Hubble. Er hat nachgewiesen, dass das Universum sich ausdehnt. Zuerst hat er entdeckt, dass der Andromeda-Nebel nicht nur eine Wolke aus Staub und Gas in unserer eigenen Galaxis ist, sondern eine selbstständige Galaxis außerhalb der Milchstraße. Die Tatsache, dass die Milchstraße nur eine von vielen Galaxien ist, hat das Bild der Astronomen vom Weltall umgestürzt.*

Hubbles allerwichtigste Entdeckung machte er 1929, als er feststellen konnte: je weiter eine Galaxis von der Milchstraße entfernt ist, umso rascher bewegt sie sich. Diese Entdeckung ist die eigentliche Grundlage für die so genannte Big-Bang-Theorie – oder die Theorie vom Urknall. Nach dieser Theorie, der heute fast alle Astronomen folgen, ist das Universum nach einer gewaltigen Explosion vor zwölf bis vierzehn Jahrmilliarden entstanden. Das ist lange her, sehr lange.

Wenn alles, was in der Geschichte des Universums geschehen ist, in einen einzigen Tag gequetscht würde, dann wäre die Erde erst am späten Nachmittag entstanden. Die Dinosaurier hätten ihren Auftritt einige Minuten vor Mitternacht gehabt. Und die Menschheit würde erst seit zwei Sekunden existieren...

Bist du noch da, Georg? Ich habe mich wieder vor den Computer gesetzt, nachdem ich dich in den Kindergarten gebracht habe. Es ist Montag.

Heute warst du ein bisschen quengelig. Ich habe das Thermometer geholt, aber du hattest kein Fieber. Ich habe dir auch in den Hals und in die Ohren geschaut und deine Lymphdrüsen abgetastet, aber ich habe nichts gefunden. Ich glaube, du bist nur ein bisschen erkältet und vielleicht vom Wochenende noch etwas müde.

Ich hatte fast gehofft, dass du ein bisschen richtig krank würdest und den ganzen Tag bei mir zu Hause sein könntest. Aber ich habe ja auch diese Schreibarbeit zu erledigen.

Am Wochenende waren wir wieder in Fjellstølen. Am frühen Samstagmorgen lief Mama mit einem alten Melkeimer los und kam erst nach langer Zeit mit vier Kilo Multebeeren zurück. Und du warst ein bisschen sauer, Georg. Du wolltest auch in den Bergen Beeren sammeln und nachmittags konntest du dann ganz allein ein Pfund Krähenbeeren pflücken. Und Mama musste Krähenbeerengelee kochen. Das haben wir am Sonntag gegessen. Ich glaube, es war dir ein bisschen zu sauer, aber essen musstest du es natürlich, wo du doch die Beeren gesammelt hattest.

Wir haben in diesem Sommer auch viele Lemminge gesehen und du durftest mit einem gelben und einem schwarzen Buntstift einen Lemming ins Hüttenbuch zeichnen. Der ist schön geworden, mit etwas gutem Willen kann man in diesem Tier wirklich einen Lemming erkennen. Du hast ihm nur einen zu langen Schwanz verpasst. Sicherheitshalber hat Mama deshalb »Lemming« unter die Zeichnung geschrieben. Und dazu noch: »Georg, 1.9.1990«.

Das Hüttenbuch ist vielleicht noch da? Ist es das, Georg?

Ich saß fast den ganzen Abend da und las das Hüttenbuch von vorn bis hinten. Du warst schon im Bett. Ich habe das dann mehrere Male gemacht. Kaum hatte ich den letzten Gruß gelesen – und mir noch einmal deine Zeichnung angesehen –, da fing ich wieder von vorne an. Ich ging davon aus, dass wir vor Weihnachten das Ferienhaus nicht mehr besuchen würden.

Am Ende kam Veronika und riss mir das Buch aus der Hand. Sie stellte es oben ins Bücherregal, obwohl es sonst immer auf dem Kaminsims liegt.

»Jetzt trinken wir einen Schluck Wein«, sagte sie nur.

Aber zurück nach Spanien.

Ich blieb zwei Tage bei Veronika in Sevilla. Dann musste ich nach Hause, das fand sowohl Veronika als auch ihre Vermieterin. Ich musste es schaffen, fast drei Monate auf sie zu warten, dann erst war ihr Kurs zu Ende. Aber jetzt hatte ich gelernt, mich zu sehnen. Ich hatte gelernt, dem Orangenmädchen zu vertrauen.

Ich musste sie natürlich fragen, ob ihr altes Versprechen noch galt und ob wir im folgenden halben Jahr jeden Tag zusammen sein würden. Ich konnte davon nicht mehr ohne weiteres ausgehen, nachdem ich es nicht geschafft hatte, mich an die Regeln zu halten. Sie dachte lange nach, ehe sie antwortete. Ich glaube, sie suchte eine tiefsinnige Antwort. Dann sagte sie lächelnd: »Ich muss mich vielleicht damit begnügen, die beiden Tage abzuziehen, die du dir hier schon erschlichen hast.«

Als sie mich zum Flughafenbus brachte, entdeckten wir eine weiße Taube, die tot im Rinnstein lag. Veronika zuckte zusammen und blieb stehen. Ich fand es seltsam, dass der Anblick ihr so zu schaffen machte. Dann drehte sie sich zu mir um, schmiegte den Kopf an meinen Hals und weinte. Und ich brach selber in Tränen aus. Wir waren so jung. Wir waren mitten im

Märchen. Da durfte keine tote Taube im Rinnstein liegen. Und schon gar keine weiße. So waren die Regeln. Wir weinten. Die weiße Taube war ein böses Omen.

Zurück in Oslo konzentrierte ich mich auf mein Studium. Ich hatte viel aufzuholen, weil ich in der Woche zuvor mehrere wichtige Vorlesungen geschwänzt hatte, außerdem waren da schon meine vielen Skitouren und Suchaktionen in der Stadt gewesen. Von nun an sparte ich viel Zeit, ich brauchte die Stadt nicht mehr nach dem geheimnisvollen Orangenmädchen zu durchkämmen. Ich brauchte mir auch keine Mühe zu geben, eine Freundin zu finden. Viele meiner Kommilitonen verbrachten damit ihre Zeit.

Noch immer konnte ich zusammenzucken, wenn ich einen schwarzen Damenmantel sah – oder ein rotes Sommerkleid, als es wärmer wurde. Wenn ich eine Orange sah, dachte ich immer an Veronika. Wenn ich in einem Laden einkaufte, konnte ich vor dem Obststand in tiefe Gedanken versinken. Ich sah jetzt auch viel deutlicher, dass keine zwei Orangen gleich aussehen. In kühler Ruhe konnte ich sie betrachten. Und wenn ich selbst Orangen kaufte, suchte ich mir immer die schönsten aus und ließ mir dabei viel Zeit. Ab und zu presste ich mir Saft, und einmal kochte ich Orangenpudding und servierte ihn Gunnar und einigen anderen Freunden, an einem Abend, als wir in unserer Wohnung Bridge spielten.

Gunnar studierte im dritten Semester Staatswissenschaft und war eigentlich der Koch unter uns. Immer wieder tischte er Steaks und Kabeljau auf. Obwohl er niemals einen Ausgleich dafür verlangte, machte es mir Spaß, ihn mit einem

Orangenpudding zu überraschen. Ich legte mein ganzes Herz in die Zubereitung. Meine Mutter, also deine Oma, hatte mir geholfen, in einem alten Kochbuch ein Rezept zu suchen. Sie hatte sogar angeboten, den Pudding für mich zu kochen. Sie konnte nicht wissen, dass es darum ging, dass ich das selber schaffte. Ich glaube nicht, dass sie auch nur ahnte, dass dieses Projekt etwas mit Veronika zu tun haben könnte.

Und dann kam sie zurück nach Norwegen, Georg. Mitte Juli kehrte sie aus Sevilla zurück. Ich fuhr zum Flughafen, um sie abzuholen. Es gab viele Zeugen für unser Wiedersehen, als sie mit zwei großen Koffern und einer riesigen Mappe voller Bilder und Zeichnungen aus dem Zoll kam. Zuerst standen wir eine halbe Minute da und sahen einander nur an, vielleicht um zu beweisen, dass wir die Charakterstärke besaßen, noch einige Sekunden aufeinander zu warten. Aber dann verschmolzen wir in einer heißen Umarmung, ungewöhnlich heiß, das muss ich vielleicht zugeben, sogar für einen Flughafen. Eine alte Dame kam vorüber und musste ihren Senf dazugeben. »Ihr solltet euch schämen«, kläffte sie uns an. Wir lachten nur. Wir hatten keinen Grund, uns zu schämen. Wir hatten so lange aufeinander gewartet.

Noch in der Ankunftshalle musste Veronika ihre Mappe öffnen und mir zeigen, was sie gemalt hatte. Sie blätterte rasch über das Porträt von »Jan Olav« hinweg, dennoch konnte ich einen kurzen Blick darauf werfen; ich registrierte wieder das strahlend blaue Licht meiner Augen auf diesem Bild. Ich konnte nichts dazu sagen, aber Veronika hatte viele fröhliche Kommentare zu den anderen Bildern. Sie redete wie ein Wasserfall. Sie versuchte nicht, zu verbergen, dass sie sehr stolz auf die Bilder war, die sie mir zeigte. Sie verhehlte nicht, dass sie im Laufe des vergangenen halben Jahres doch etwas gelernt hatte.

Für den Rest des Sommers schwärmten wir in alle Richtungen aus. Wir fuhren auf die Inseln im Oslofjord, wir fuhren in den Norden, wir besuchten Museen und Kunstausstellungen und wir machten an vielen satten Spätsommerabenden Spaziergänge durch die Villenstraßen von Tåsen.

Du hättest sie sehen sollen! Du hättest sehen sollen, wie sie durch die Stadt tanzte. Du hättest sehen sollen, wie sie in den Kunstausstellungen stand! Und du hättest sie lachen hören sollen! Ich konnte mich dann auch ausschütten vor Lachen. Ich weiß kaum etwas, das so ansteckend ist wie ein Lachen.

Immer häufiger benutzten wir das Pronomen »wir«. Das ist ein seltsames Wort. Morgen mache ich dies oder das, sagen wir normalerweise. Oder wir fragen einen anderen Menschen, also »dich«, was du vorhast. Das ist nicht schwer zu verstehen. Aber plötzlich heißt es mit allergrößter Selbstverständlichkeit »wir«. »Wollen wir mit der Fähre nach Langøyene fahren und baden?« – »Oder bleiben wir zu Hause und lesen?« – »Hat uns das Theaterstück gefallen?« – Und dann eines Tages: »Wir sind glücklich.«

Wenn wir das Pronomen »wir« benutzen, setzen wir zwei Personen mit einer gemeinsamen Handlung in Verbindung und lassen sie fast wie ein einziges Wesen erscheinen. In vielen Sprachen gibt es ein besonderes Pronomen, wenn nur von zwei Menschen die Rede ist. Dieses Pronomen wird *Dual* genannt, das, was von zweien geteilt wird. Ich finde diese Bezeichnung sinnvoll, denn manchmal ist man weder ein Mensch noch viele. Man ist »wir zwei«, und man ist »wir zwei«, als könne dieses »Wir zwei« nicht geteilt werden. Es gibt märchenhafte Regeln, die dann greifen, wenn dieses Pronomen plötzlich eingeführt wird, fast wie durch Zauberei. »Jetzt kochen wir.« – »Jetzt machen wir eine Flasche Wein auf.« – »Jetzt gehen wir schlafen.« Ist es nicht fast schamlos, so zu reden? Es ist jedenfalls etwas ganz anderes als zu sagen, jetzt musst du den Bus nach Hause nehmen, ich bin müde.

Wenn wir den Dual oder die »Zweizahl« verwenden, dann gelten also ganz neue Regeln. »Wir machen einen Spaziergang!« So einfach, Georg, nur vier Wörter, und trotzdem beschreiben sie einen inhaltsreichen Handlungsverlauf, der tief in das Leben zweier Menschen auf der Erde eingreift. Und nicht nur in Bezug auf die Wortmenge können wir hier von Energiesparen reden. »Wir duschen«, sagte Veronika. »Wir essen.« – »Wir gehen schlafen!« Wenn wir so reden, brauchen wir auch nur einen Duschkopf. Wir brauchen nur eine Küche und ein Bett.

Für mich kam dieser neue Sprachgebrauch wie ein Schock. »Wir« – da schien sich ein Kreis geschlossen zu haben. Die ganze Welt schien zu einer höheren Einheit verschmolzen zu sein.

Jugend, Georg, jugendlicher Leichtsinn!

Aber ich erinnere mich auch an einen warmen Augustabend, an dem wir auf Bygdøy saßen und auf den Fjord hinausschauten. Ich weiß nicht so recht, wie ich auf diese Idee gekommen war, aber plötzlich rutschte es mir heraus: »Wir sind nur dieses eine Mal auf der Welt.«

»Wir sind jetzt hier«, sagte Veronika, wie um mich daran zu erinnern.

Aber ich fand, sie solle mehr auf das eingehen, was ich zu sagen versuchte, deshalb fügte ich hinzu: »Ich denke an Abende wie diesen, die ich nicht mehr leben darf...« Ich wusste, dass Veronika diese Gedichtzeile von Olaf Bull kannte. Das Gedicht hatten wir einmal zusammen gelesen.

Veronika fuhr zu mir herum und packte mein Ohrläppchen mit zwei Fingern. Sie sagte: »Aber du warst immerhin hier. Lucky you!«

Im Herbst fing Veronika dann auf der Kunstakademie an und ich setzte mein Medizinstudium fort. Nach den Einführungskursen fand ich alles zunehmend interessanter. Nachmittags und abends waren wir so oft zusammen, wie wir nur konnten, wir sorgten auf jeden Fall dafür, dass wir uns jeden Tag *sahen*. Das heißt, das Orangenmädchen strich wirklich diese beiden Tage, die ich mir erschlichen hatte, und behielt sie für sich. Ich glaube, sie wollte mich damit vor allem necken, aber sie wollte vielleicht auch ein Exempel statuieren. Wir mussten uns weiterhin an die Regeln halten, denn das Märchen war noch nicht zu Ende, es hatte gerade erst angefangen. Um uns herum entstanden immer noch neue Märchen und deshalb auch immer neue Regeln, die eingehalten werden mussten. Du weißt doch noch, was ich über solche Regeln gesagt habe? Es sind wichtige Dinge, die man tun oder nicht tun darf, die man aber nicht unbedingt verstehen muss. Man braucht nicht einmal darüber zu reden.

Auch in Oslo hatte Veronika bei einer alten Dame ein Zimmer mit Kochnische gemietet. Sie brauchte keine Miete zu bezahlen, sondern nur im Sommer den Rasen zu mähen, im Winter Schnee zu schippen und zweimal die Woche für die Vermieterin einzukaufen, unter anderem eine Flasche Portwein. Aber die alte Dame, Frau Mowinckel hieß sie, war damit einverstanden, dass ab und zu ich diese Dienste übernahm. Das fand ich gut, denn so konnte sie sich leichter damit abfinden, dass ich ab und zu in Veronikas Zimmerchen übernachtete. Die Miete hatte ich ja sozusagen schon bezahlt.

Am Heiligen Abend besuchten wir wieder den Weihnachtsgottesdienst im Dom, das waren wir einander schuldig, fanden wir. Veronika trug denselben schwarzen Mantel und dieselbe märchenhafte Silberspange in den Haaren. Ich gehörte jetzt zu diesem Märchen, zu dieser unergründlichen Mystik. Wir saßen natürlich auf derselben Bank, und ich brauchte mir keine Sorgen darüber zu machen, in welche Richtung die Männer in der Kirche die Köpfe wandten. Sie konnten sich gern zu Veronika umdrehen und einige taten das wohl auch. Ich war stolz. Und Veronika strahlte, sie war glücklich. Ich war natürlich auch glücklich. Vielleicht war auch sie ein wenig stolz.

Nach dem Gottesdienst schlugen wir dieselbe Richtung ein wie im Jahr zuvor. Wir hatten das so besprochen. Wir waren bereits traditionsbewusst. Beinahe stumm gingen wir zusammen zum Schlosspark. Obwohl wir über dieses Schweigen nicht gesprochen hatten, es kam von selbst.

Wir blieben stehen und umarmten uns an genau der Stelle, an der sie ein Jahr zuvor in ein Taxi gestiegen war, denn auch in diesem Jahr trennten sich hier unsere Wege. Veronika war bei einer alten Tante in Skillebekk mit ihrem Vater verabredet, von dort aus wollten sie zusammen nach Asker fahren, wo ihre Eltern wohnten. Ich wollte auch in diesem Jahr mit meinen Eltern und meinem Bruder Einar im Humlevei Weihnachten feiern.

Es war dieselbe Szene wie im Vorjahr. Wir wollten uns im Wergelandvei voneinander trennen, sowie das erste freie Taxi auftauchte, in das Veronika dann einsteigen würde. Aber was würde passieren, wenn das Taxi gekommen war? Würde das Märchen dann zu Ende sein? Würde die Magie plötzlich durchbrochen werden? Darüber hatten wir nicht gesprochen. Wir hatten einander im vergangenen halben Jahr jeden Tag gesehen, nur an den beiden Straftagen nicht. Das Orangenmädchen hatte ihr feierliches Versprechen gehalten. Aber welche Regeln sollten für das neue Jahr gelten?

Es war in diesem Jahr kälter als im Vorjahr und Veronika fror. Ich nahm sie in den Arm und rieb ihren Rücken. Dann erzählte ich, dass Gunnar nach Neujahr aus unserer kleinen Wohnung ausziehen würde. Er habe einen Studienplatz in Bergen gefunden. Ich sagte auch, dass ich mir nun einen neuen Mitbewohner suchen müsse.

Ich war so feige, Georg. Und das fand sie offenbar auch. Sie wurde fast ein wenig heftig. Gunnar wollte also ausziehen? Und ich wollte mir einen neuen Mitbewohner suchen? Und das hatte ich mir alles überlegt, ohne mit ihr darüber zu sprechen? Sie war fast böse. Ich hatte schon Angst, dass wir uns an diesem Heiligen Abend in Unfrieden trennen würden. Doch dann sagte sie: »Dann kann ich doch bei dir einziehen. Dann können wir zusammenziehen, meine ich. Können wir das nicht, Jan Olav?«

Genau das hatte ich mir natürlich auch gewünscht. Aber ich war feiger als sie. Ich hatte Angst, die Regeln zu brechen.

Sie strahlte wie ein ganzer Orangenbaum auf der Plaza de la Alianza, als wir uns geeinigt hatten, dass sie Anfang Januar nach Adamstuen umziehen würde. Im folgenden Jahr würden wir also nicht nur jeden Tag zusammen sein. Wir würden auch jede Nacht miteinander verbringen. Das waren die neuen Regeln.

Plötzlich huschte ein Ausdruck der Besorgnis über ihr Gesicht, vielleicht eine Art Zweifel, überlegte ich, vielleicht hatte sie doch Vorbehalte. Oder gab es einfach etwas, das sie nicht über die Lippen brachte? »Was ist los, Veronika?«, flüsterte ich. Ich kannte sie ja jetzt.

Sie sagte: »Dann wird Gunnars Zimmer frei.«

Ich nickte, aber ich begriff nicht, warum sie das noch einmal erwähnte. Ich hatte ja gesagt, dass Gunnar ausziehen würde.

Sie sagte: »Denn wir schlafen doch nicht in getrennten Zimmern.«

»Natürlich nicht«, sagte ich, begriff aber noch immer nicht, worauf sie hinauswollte.

Sie war jetzt überhaupt nicht mehr nachdenklich. Sie sagte ganz offen, was sie meinte. »Dann kann ich vielleicht Gunnars Zimmer als Atelier benutzen«, sagte sie. Sie schaute kurz zu mir hoch, wie um meine Reaktion zu testen. Ich legte einfach meine Hand auf die Silberspange in ihrem Nacken und sagte, ich wäre ungeheuer stolz darauf, mit einer Künstlerin zusammenzuwohnen.

Keine zwei Minuten später kam ein Taxi. Sie streckte einen

Arm aus und hielt es an. Sie stieg ein, und in diesem Jahr drehte sie sich zu mir um und winkte fröhlich mit beiden Händen. Was für eine Vorstellung, dass das alles nur ein Jahr her war!

Ich brauchte nicht mehr Ausschau nach einem verlorenen Schuh zu halten, nachdem das Taxi abgefahren war. In diesem Märchen gab es keine Vorbehalte mehr. Wir waren nicht mehr abhängig von den unbegreiflichen Regeln irgendwelcher spießiger Feen, die darüber entschieden, was verboten war und was erlaubt. Jetzt gehörte das Glück uns.

Doch was ist ein Mensch, Georg? Wie viel ist ein Mensch wert? Sind wir nur Staub, der aufgewirbelt und in alle Winde zerstreut wird?

Während ich diese Zeilen schreibe, zieht das Hubble-Teleskop seine Bahn um die Erde. Es ist jetzt seit über vier Monaten dort draußen, und seit Ende Mai hat es uns viele wertvolle Bilder des Universums geschickt, also von diesem riesigen fremden Gebiet, aus dem wir im Grunde alle herstammen. Aber schon bald wurde am Teleskop ein ernsthafter Fehler festgestellt. Es ist jetzt die Rede davon, eine Raumfähre hochzuschicken, mit einer Besatzung, die diesen Defekt beheben kann, damit unser Wissen über den Weltraum noch größer wird.

Weißt du, was aus dem Hubble-Teleskop geworden ist? Ist es jemals repariert worden?

Manchmal stelle ich mir das Teleskop als das Auge des Universums vor. Denn ein Auge, das das gesamte Universum sehen kann, muss doch mit einem gewissen Recht so genannt werden dürfen. Verstehst du, wie ich das meine? Das Universum selbst hat dieses unvorstellbare Instrument hervorgebracht. Das Hubble-Teleskop ist ein kosmisches Sinnesorgan.

Was ist das für ein großes Abenteuer, in dem wir leben und das wir alle nur für einen kurzen Moment erleben dürfen? Vielleicht kann uns das Weltraumteleskop eines Tages dazu verhelfen, mehr vom Wesen dieses Abenteuers zu erfassen. Dort draußen hinter den Galaxien findet sich vielleicht die Antwort auf die Frage, was ein Mensch ist.

Ich glaube, ich habe in diesem Brief schon sehr oft das Wort »Rätsel« benutzt. Ein Versuch, das Universum zu verstehen, kann vielleicht mit dem Zusammensetzen eines riesigen Puzzles verglichen werden. Obwohl es hier vielleicht ebenso sehr um ein mentales oder *geistiges* Rätsel geht, und vielleicht liegt die Lösung für dieses Rätsel in uns. Denn wir sind doch hier. Wir sind dieses Universum, wir.

Vielleicht sind wir noch nicht fertig erschaffen. Die physische Entwicklung des Menschen musste natürlich der psychischen zuvorkommen. Und vielleicht ist die physische Natur dieses Universums nur etwas Äußerliches, ein notwendiges Material für die Selbsterkenntnis des Weltalls.

Ich habe eine wahnwitzige Vorstellung: Newton kam eines Tages unerwartet zu der Erkenntnis, dass es eine überall geltende Schwerkraft gibt. Schön. Fast ebenso plötzlich ging es Darwin auf, dass auf diesem Planeten eine biologische Entwicklung abgelaufen ist. Auch schön, sicher. Dann entdeckte Einstein den Zusammenhang zwischen Masse, Energie und Lichtgeschwindigkeit. Hervorragend! Und 1953 wiesen Crick und Watson nach, wie das DNS-Molekül, also die Erbmasse von Pflanzen und Tieren, aufgebaut ist. Großartig! Aber es ist doch auch denkbar, dass eines Tages – was wird das für ein Tag werden, Georg! –, dass eines Tages eine nachdenkliche Seele in einem einzigen Moment der Klarsicht das Rätsel des Universums löst. Ich bilde mir ein, dass so etwas plötzlich passieren kann! (An diesem Tag hätte ich gern den Job des Schlagzeilenerfinders einer großen Tageszeitung.)

Weißt du noch, dass ich diesen Brief damit begonnen habe, dass ich dir gern eine Frage stellen würde? Es ist sehr wichtig für mich, wie du diese Frage beantworten wirst. Aber ich habe noch nicht alles erzählt.

Das Hubble-Teleskop! Da war es wieder. Jetzt war ich ganz sicher, dass die wichtige Frage, die mein Vater mir stellen wollte, etwas mit dem Weltraum zu tun haben würde.

Ich stand aus dem Bett auf und schaute aus dem Fenster. Noch immer fiel dichter Schnee. Aber das ist jetzt auch egal, dachte ich. Denn auch wenn der Himmel über der Erde bewölkt ist, so kann das Hubble-Teleskop doch kristallklare Bilder von Galaxien liefern, die viele Milliarden Lichtjahre von unserer eigenen Milchstraße entfernt sind. Und es arbeitet rund um die Uhr. Es hat uns bereits hunderttausende von Bildern geschickt und mehr als zehntausend Himmelskörper untersucht. Jeden Tag versorgt uns das Hubble-Teleskop mit genug Informationen, um einen ganzen Computer zu füllen.

Aber warum erwähnte mein Vater das Weltraumteleskop nun schon wieder? Ich konnte nicht begreifen, was das mit dem Orangenmädchen zu tun haben sollte. Aber das war nicht mehr so wichtig. Wichtig war, dass mein Vater vom Hubble-

Teleskop überhaupt gewusst hatte. *Er hatte begriffen, wie wichtig es für die Menschheit war. Das hatte er noch geschafft, ehe er krank geworden und gestorben war. Es war so ungefähr das Letzte gewesen, womit er sich beschäftigt hatte.*

Das Auge des Universums! So hatte ich das Hubble-Teleskop nie gesehen. Ich hatte es mir als Fenster der Menschheit zum Universum vorgestellt. Aber es war auch keine Übertreibung, das Weltraumteleskop das »Auge des Universums« zu nennen.

Vor ungefähr 150 Jahren war die überschäumende Bewunderung für die erste norwegische Eisenbahnlinie zwischen Christiania und Eidsvoll ja doch ein wenig übertrieben gewesen. In Norwegen lebt ein Promille der Weltbevölkerung und an der Strecke Christiania-Eidsvoll wohnte um 1850 vielleicht ein Zehntel davon. Mit dem Hubble-Teleskop können alle Menschen auf der Welt durch das gesamte Universum reisen. Als es ein halbes Jahr vor dem Tod meines Vaters in seine Umlaufbahn gebracht wurde, kostete es bereits 2,2 Milliarden Dollar. Ich habe ausgerechnet, dass das für jeden Menschen auf der Welt ungefähr vier Kronen ergibt, das ist ein überaus billiger Fahrpreis, ich meine, für die Möglichkeit, kreuz und quer durchs ganze Universum zu gondeln. Als Vergleich: Es kostet derzeit ungefähr zweihundert Kronen, von Oslo nach Eidsvoll und wieder zurück zu fahren. Das ist nicht gerade billig, und wer mir hier zustimmt, kann sich gern bei der Norwegischen Eisenbahngesellschaft beschweren. (Ich will hier kein böses Wort über die Norwegische Eisenbahn oder den alten Bummelzug von Christiania nach Eidsvoll sagen. Aber ich möchte doch behaupten, dass das Hubble-Teleskop wichtiger für die Menschheit und vielleicht sogar für die Bauern in

Romerike ist. Wie ich schon sagte, ist es nicht übertrieben, das Hubble-Teleskop als Auge des Universums zu bezeichnen. Das fand jedenfalls mein Vater, obwohl er nicht mal mehr erlebt hat, dass es eine neue Brille bekam!)

»Das Hubble-Teleskop ist ein kosmisches Sinnesorgan«, schrieb er. Ich glaube, ich weiß, was er damit meinte. Wir können vielleicht erklären, dass es ein kleiner Schritt für die Menschheit war, das Hubble-Teleskop auf die Umlaufbahn um die Erde zu bringen, denn 1990 besaßen wir leistungsstarke Teleskope und eine Raumfähre. Aber es war ein großer Sprung für das Universum! Es geht nämlich um das Universum, wenn die Menschen versuchen, eine Antwort auf die Frage zu finden, was dieses Weltall eigentlich ist. Nicht mehr und nicht weniger! **Das Universum hat ungefähr fünfzehn Milliarden Jahre gebraucht, um sich etwas so Wichtiges einsetzen zu lassen wie ein Auge, mit dem es sich selber sehen kann!** (Ich habe eine ganze Stunde für diesen Satz gebraucht. Deshalb habe ich ihn so hervorgehoben.)

Die Lunte brennt, dachte ich. Ich las schnell weiter und wurde bald zum Zeugen meiner eigenen Geburt. Das war schon etwas ganz Besonderes. Nicht alle Kinder werden auf einer Cocktailparty geboren!

Aber erzähl du nur, mein Vater. Ich wollte dich nicht unterbrechen. Du hast nach dem Hubble-Teleskop gefragt und diese Frage habe ich nun immerhin beantwortet.

Von jetzt an werde ich mich kurz fassen, das muss sein, denn mir läuft die Zeit davon. Morgen habe ich einen wichtigen Termin. Deshalb wird Mama dich in den Kindergarten bringen.

Wir lebten vier Jahre in der kleinen Wohnung in Adamstuen. Veronika beendete ihr Studium an der Kunstakademie, sie malte weiterhin, wie du weißt, und schließlich unterrichtete sie andere in dieser Kunst, als Lehrerin im Fach »Form und Farbe« an einer Gesamtschule. Ich stand vor dem so genannten Pflichtdienst als frisch ausgebildeter Arzt. Das bedeutete, dass ich zwei Jahre in einem Krankenhaus arbeiten musste.

Du weißt sicher, dass deine Großeltern beide in Tønsberg geboren sind. Gerade um diese Zeit wollten sie einen alten Traum wahr machen, in Pension gehen und dorthin zurückziehen. Eines Tages erzählten sie, dass sie ein romantisches kleines Haus in Nordbyen gekauft hatten. Mein Bruder, also Onkel Einar, war inzwischen zur See gegangen, ich glaube, Liebeskummer hatte ihn dazu getrieben. Und so kam es, dass Veronika und ich in das große Haus im Humlevei zogen. Wir mussten ein hohes Darlehen aufnehmen, aber wir wussten ja, dass wir jetzt ein Einkommen hatten.

Im ersten Jahr im Humlevei arbeiteten wir viel im Garten. Natürlich behielten wir die beiden Apfelbäume, den Birnbaum und den Kirschbaum, die mussten nur beschnitten und gedüngt werden. Wir behielten auch die alten Himbeersträucher, und wir brachten es nicht übers Herz, uns von Stachelbeeren, Schwarzen Johannisbeeren oder Rhabarber zu trennen. Aber jetzt pflanzten wir außerdem Flieder, Rhododendron und Hortensien. Das alles entschied Veronika. Ich hatte ja mein ganzes Leben mit diesem Garten verbracht. Und jetzt sollte er ihr gehören. An warmen Tagen stellte sie ab und zu ihre Staffelei in den Garten und malte das, was dort wuchs und gedieh.

Als wir einmal Himbeeren pflückten, entdeckten wir eine

riesige Hummel, die plötzlich von einer Kleeblüte abhob und in wildem Wackelflug losdüste. Mir ging auf, dass eine Hummel um einiges schneller sein muss als ein Jumbojet, ich meine, im Verhältnis zu ihrem eigenen Körpergewicht. Der fliegt mit einer Geschwindigkeit von achthundert Stundenkilometern, das heißt, achtzigmal so schnell wie eine Hummel. Aber achtzig mal zwanzig Gramm ergibt nur 1,6 Kilo. Veronika und ich gingen beide davon aus, dass eine Boeing 747 viel mehr wog. Im Vergleich zu ihrem Körpergewicht erreichte die Hummel damit eine viele tausend Mal so hohe Geschwindigkeit wie ein Jumbojet. Und eine Boeing 747 hat vier Jetmotoren. Die hat die Hummel nicht. Eine Hummel ist nur ein einfaches Propellerflugzeug. Wir lachten. Wir lachten darüber, dass eine Hummel so schnell fliegen konnte und dass wir im Humlevei wohnten.

Veronika schärfte damals mein Auge für die kleinen Raffinessen der Natur und davon gab es unendlich viele. Wir konnten eine Anemone oder ein Veilchen pflücken und das kleine Wunder viele Minuten lang betrachten. War die Welt nicht ein einziges umwerfendes Märchen?

Heute, also jetzt, wo ich das schreibe, kann ich traurig werden, wenn ich an den Flug der Hummel in diesen flüchtigen Sekunden des Nachmittags denke, an dem wir damals im Garten Himbeeren pflückten. Wir waren so beseelt, Georg, so offen und sorglos. Jetzt hoffe ich, dass auch du einen offenen Sinn für diese kleinen Mysterien geerbt hast. Sie sind nicht weniger faszinierend als Sterne und Galaxien am Himmel. Ich glaube, man braucht mehr Verstand, um eine Hummel zu erschaffen, als dafür, ein schwarzes Loch zu produzieren.

Für mich ist diese Welt immer eine Zauberwelt gewesen, das war schon so, als ich noch klein war, lange, bevor ich anfing, auf den Straßen von Oslo nach einem Orangenmädchen Ausschau zu halten. Es ist schwer, dieses Gefühl mit einfachen Worten zu beschreiben, aber stell dir diese Welt vor, ehe es dieses ganze moderne Geschwafel über Naturgesetze, Entwicklungslehre, Atome, DNS-Moleküle, Biochemie und Nervenzellen gab – ja, ehe dieser Erdball sich überhaupt drehte, ehe er zu einem »Planeten« im Weltraum degradiert wurde und ehe der stolze Menschenleib zerstückelt wurde in Herz, Lunge, Nieren, Leber, Gehirn, Blutkreislauf, Muskeln, Magen und Gedärm. Ich spreche von damals, als der Mensch ein Mensch war, also ein ganzer und stolzer *Mensch,* nicht mehr und nicht weniger. Damals war die Welt einfach ein Funken sprühendes Abenteuer.

Plötzlich schnellt ein Reh aus einem Gehölz und starrt dich eine Sekunde lang an – dann ist es verschwunden. Was für eine Seele setzt dieses Tier in Bewegung? Was für eine unergründliche Kraft dekoriert die Welt mit Blumen in allen Regenbogenfarben und schmückt den Nachthimmel mit einem überreichen Spitzenrand aus funkelnden Sternen?

Ein so nacktes und direktes Naturgefühl findest du in der Volksdichtung, zum Beispiel in den Märchen der Brüder Grimm. Lies sie, Georg. Lies die isländischen Sagas, lies die griechischen und altnordischen Mythen, lies das Alte Testament.

Sieh dir die Welt an, Georg, sieh dir die Welt an, ehe du zu viel Physik und Chemie büffelst.

In diesem Moment jagen große Rentierherden durch die

windige Hardangervidda. Auf der Ile de Camargue zwischen den beiden Mündungsarmen der Rhone brüten tausende von flammend roten Flamingos. Verlockende Herden von geschmeidigen Gazellen springen wie Zauberwerk durch die afrikanische Savanne. Tausende und abertausende Königspinguine plappern an einem eiskalten Strand in der Antarktis miteinander, und sie frieren nicht, ihnen gefällt es so. Aber nicht nur die Menge ist wichtig. Ein einsamer, nachdenklicher Elch lugt in Ostnorwegen aus dem Tannenwald hervor. Vor einem Jahr hat sich so einer bis in den Humlevei verirrt. Ein verängstigter Lemming huscht zwischen den Brettern des Schuppens von Fjellstølen herum. Ein molliger Seehund lässt sich von einem Inselchen bei Tønsberg ins Wasser gleiten.

Behaupte bloß nicht, die Natur sei kein Wunder. Erzähl mir bloß nicht, die Welt sei kein Märchen. Wer das nicht eingesehen hat, wird es vielleicht erst begreifen, wenn das Märchen sich bereits seinem Ende nähert. Denn dann bekommen wir eine letzte Möglichkeit, uns die Scheuklappen abzureißen, eine letzte Möglichkeit, uns diesem Wunder hinzugeben, von dem wir nun Abschied nehmen und das wir verlassen müssen.

Ob du wohl begreifst, was ich hier auszudrücken versuche, Georg? Niemand hat sich jemals unter Tränen von Euklids Geometrie oder dem periodischen System der Atome verabschiedet. Niemand zerdrückt ein Tränchen, weil er von Internet oder dem Einmaleins getrennt wird. Es ist eine Welt, von der wir uns verabschieden, es ist das Leben, es sind Märchen und Abenteuer. Und dann müssen wir uns außerdem von einer kleinen Auswahl an Menschen verabschieden, die wir wirklich lieben.

Es kommt vor, dass ich mir wünsche, ich hätte vor der Erfindung des Einmaleins und vor allem vor der modernen Physik und Chemie gelebt, bevor wir sozusagen alles begriffen – also in DER PUREN ZAUBERWELT! Aber gerade so erlebe ich das Leben jetzt in diesem Moment, wo ich vor dem Computer sitze und diese Zeilen für dich schreibe. Ich bin selber Wissenschaftler und gewiss nicht wissenschaftsfeindlich eingestellt, aber ich habe mir auch meine mythische und ein wenig animistische Weltanschauung nie nehmen lassen. Ich habe mir durch Newton oder Darwin niemals das eigentliche Mysterium des Lebens rauben lassen. (Sieh einfach im Lexikon nach, wenn du irgendein Wort nicht verstehst. Im Wohnzimmer steht ein aktuelles Lexikon. Jetzt, wo ich das schreibe, steht es jedenfalls da, aber ich weiß nicht, ob du es noch immer als aktuell bezeichnen würdest.)

Ich will dir ein Geheimnis anvertrauen: Ehe ich mein Medizinstudium aufgenommen habe, hatte ich zwei Zukunftsalternativen. Entweder wollte ich Dichter werden, also diese Zauberwelt, in der wir leben, mit Worten besingen. Aber das habe ich wohl schon erwähnt. Oder ich wollte Arzt werden, also jemand, der dem Leben dient. Sicherheitshalber habe ich beschlossen, zuerst Arzt zu werden.

Zum Dichter hat es nun nicht mehr gereicht. Aber immerhin habe ich diesen Brief an dich schreiben können.

Aus der Praxis nach Hause zu kommen, zu einem Orangenmädchen, das im eigenen Garten stand und Kirschblüten malte, war wie eine einzige große Erfüllung aller meiner möglichen Träume. Einmal war ich so glücklich, als ich sie so im

Garten sah, dass ich sie hochhob und hinauf ins Schlafzimmer trug. Sie lachte, ach, wie sie lachte! Dann legte ich sie aufs Bett und verführte sie. Es ist mir durchaus nicht peinlich, dich auch in diesen Aspekt unseres gemeinsamen Glücks einzuführen. Warum sollte es das? Es ist doch ein roter Faden in dieser Geschichte.

Als wir nach einigen mit Renovierungsarbeiten verbrachten Monaten in das Haus einzogen, beschlossen wir als Erstes, nichts mehr zu unternehmen, um keine Kinder zu bekommen. Das beschlossen wir in unserer allerersten Nacht hier im Haus. Und von dieser Nacht an fingen wir damit an, dich zu machen.

Und, Georg, als wir anderthalb Jahre im Humlevei gewohnt hatten, wurdest du geboren. Ich war so stolz, als ich dich zum ersten Mal in den Armen hielt. Du warst ein Junge. Wenn du ein Mädchen gewesen wärst, hätten wir dich eigentlich Ranveig nennen müssen. So hieß sie doch, die kleine Tochter des Orangenmädchens, das bereits Mutter eines Kindes war.

Veronika war nach der Geburt müde und blass, aber sie war glücklich. Wir hätten nicht glücklicher sein können. Jetzt begann ein ganz neues Kapitel mit ganz neuen Regeln.

Ich will dir noch ein Geheimnis verraten. Im Krankenhaus arbeitete ein Kommilitone von mir, also auch ein Arzt. Er brachte für die Wöchnerin und den frisch gebackenen Vater ein Glas Sekt in den Kreißsaal. Das war eigentlich nicht erlaubt, es war streng verboten. Aber es gab einen kleinen Vorhang, den man vor das Fenster zum Gang ziehen konnte, und nun stießen wir alle drei auf das Leben auf der Erde an, das du jetzt begonnen hattest. Du bekamst natürlich keinen Sekt, aber bald wurdest du Veronika an die Brust gelegt und sie hatte an ihrem immerhin genippt.

Doch als mich damals in Sevilla das Orangenmädchen zum Flughafenbus gebracht hatte, hatten wir im Rinnstein eine tote Taube gesehen. Das war ein böses Omen. Vielleicht, weil ich nicht alle Regeln in diesem Märchen eingehalten hatte.

Weißt du noch, dass wir dieses Osterfest im Ferienhaus verbracht haben? Damals warst du fast dreieinhalb. Aber sicher hast du das alles vergessen. Beim Medizinstudium müssen wir auch Vorlesungen in Psychologie hören. Ich weiß, dass wir aus der Zeit, bevor wir vier Jahre alt werden, nur wenige Erinnerungen behalten.

Ich weiß noch, dass wir uns draußen vors Haus setzten und eine Orange teilten, und Veronika nahm das auf Video auf, fast als ob sie ahnte, dass etwas dem Ende entgegenging. Kannst du sie nicht fragen, ob sie dieses Video noch hat, Georg? Vielleicht wird es ihr wehtun, es herauszusuchen, aber frag sie trotzdem.

Nach Ostern ging mir dann auf, dass ich ernstlich krank war. Veronika wollte es nicht glauben, aber ich wusste es. Ich war gut im Zeichendeuten. Ich war gut im Diagnosenstellen.

Also ging ich zu einem Kollegen, übrigens dem, der uns nach deiner Geburt im Krankenhaus Sekt serviert hatte. Zuerst machte er ein paar Blutproben, dann wurde eine so genannte Computer-Tomografie gemacht, das ist eine Art Röntgenaufnahme, und er war ganz meiner Meinung. Wir waren zur selben fachlichen Einschätzung gelangt.

Nun begann ein ganz neuer Alltag. Es war für Veronika und mich eine Katastrophe, und wir mussten so lange wie möglich versuchen, dich aus dem eigentlichen Katastrophengebiet herauszuhalten. Ein weiteres Mal wurden plötzlich neue Regeln aufgestellt. Wörter wie »Sehnsucht«, »Geduld« und »vermissen« bekamen eine neue Bedeutung. Wir konnten einander nicht mehr versprechen, uns in den kommenden Jahren jeden Tag zu sehen. Plötzlich waren wir so nackt und arm geworden. Das herzensgute Pronomen »wir« hatte einen bedrohlichen Riss bekommen. Wir konnten keine Ansprüche mehr aneinander stellen, wir konnten die Erwartungen an die Zeit, die vor uns lag, nicht mehr teilen.

Du weißt, wenn du das hier gelesen hast, etwas über meine Lebensgeschichte. Du weißt, wer ich bin. Und diese Vorstellung tut mir gut.

In gewisser Weise kennst du mich besser, als viele andere mich kennen, auch wenn wir beide nie mehr unter vier Augen miteinander gesprochen haben, seit du knappe vier Jahre alt warst. Ich habe mit anderen Menschen nämlich nicht immer so offen kommuniziert wie mit dir in diesem Brief. Und du begreifst jetzt sicher, wie schwer es für mich war, die neuen Regeln akzeptieren zu müssen. Ich wusste, was mir aller Wahrscheinlichkeit nach bevorstand und musste mich nach und nach an den Gedanken gewöhnen, dass ich dich und das Orangenmädchen verlassen würde.

Aber ich muss dir eine Frage stellen, Georg. Ich kann fast nicht mehr länger warten. Lass mich nur erst erzählen, was vor einigen Wochen hier im Humlevei passiert ist.

Veronika ist vormittags in der Schule und bringt jungen Menschen bei, Orangen zu malen. Ich habe gesagt, dass sie nicht den ganzen Tag hier bei mir zu Hause sein darf. Denn beim Frühstück will ich nur mit dir zusammen sein. Dann bringe ich dich in den Kindergarten, und danach habe ich die Stunden für mich, in denen ich vor dem Computer sitze und dir diesen langen Brief schreibe. Oft muss ich wie ein Storch durchs Zimmer steigen, um nicht auf deine Eisenbahn zu treten. Du würdest es sofort entdecken, wenn ein Teil an einer anderen Stelle läge!

Wenn ich bisweilen um diese Tageszeit ein wenig schlafe, nicht weil es mir schlecht geht, sondern weil ich nachts keine Ruhe finden kann, dann überfallen mich die Gedanken, dann wirbeln sie mir ganz besonders wild durch den Kopf. Gerade beim Einschlafen schaue ich zu tief in alle diese traurigen Rätsel hinein, in dieses große, böse Märchen, in dem es keine guten Feen gibt, sondern nur schlimme Weissagungen, düstere Geister und üble Elfen. So gesehen ist es besser, nachts auf den Schlaf zu verzichten und lieber bei helllichtem Tag auf dem Sofa einzunicken.

Ich finde es nicht so schwer, wach zu sein, wenn ich weiß, dass ihr im Haus seid, du und Veronika, wenn ich weiß, dass ihr beide schlaft. Ich weiß außerdem, dass ich Veronika nur zu wecken brauche, manchmal mache ich das auch und sie sitzt dann mit mir zusammen. Es ist einige wenige Male vorgekommen, dass wir die ganze Nacht aufgeblieben sind. Wir haben dann nicht viel miteinander gesprochen. Wir haben einfach nur zusammengesessen. Wir haben uns Tee gekocht. Ein Käsebrot gegessen. So ist es jetzt, Georg. So sind die neuen Regeln.

Wir können stundenlang dasitzen und einander einfach nur an den Händen halten. Manchmal habe ich auf ihre Hand hinuntergeschaut, sie ist so sanft und schön, und dann starre ich meine eigene Hand an, vielleicht nur einen Finger, vielleicht nur einen Nagel. Wie lange werde ich diesen Finger noch haben, denke ich dann. Oder ich habe ihre Hand an meine Lippen gehoben und sie geküsst.

Ich habe daran gedacht, dass ich diese Hand, die ich jetzt halte, auch bis zuletzt halten werde, vielleicht in einem Krankenhausbett, vielleicht viele Stunden am Stück, bis ich am Ende aufgeben und alles loslassen muss. Wir haben beschlossen, dass es so passieren soll, sie hat es mir schon versprochen. Es tut gut, daran zu denken. Und es ist unbeschreiblich traurig, daran zu denken. Wenn ich dieses Universum loslasse, dann lasse ich eine warme, lebendige Hand los, die des Orangenmädchens.

Stell dir vor, Georg, wenn es auch auf der anderen Seite eine Hand gäbe, die wir festhalten könnten! Aber ich glaube nicht, dass es eine andere Seite gibt. Da bin ich mir fast sicher. Alles, was existiert, ist nur von Dauer, bis alles ein Ende nimmt. Aber das Letzte, was ein Mensch festhält, ist oft eine Hand.

Ich habe geschrieben, dass Lachen zu den ansteckendsten Dingen gehört, die ich kenne. Aber auch Trauer kann anstecken. Mit der Angst ist es anders. Die steckt nicht so leicht an wie Freude und Trauer und das ist nur gut so. Mit der Angst sind wir fast allein.

Ich habe Angst, Georg. Ich habe Angst davor, aus dieser Welt verstoßen zu werden. Ich habe Angst vor Abenden wie diesem, die ich nicht leben darf.

Aber eines Nachts bist du aufgewacht, das wollte ich eigentlich erzählen. Ich saß im Wintergarten und plötzlich kamst du aus deinem Zimmer ins Wohnzimmer getappt. Du riebst dir die Augen und sahst dich um. Normalerweise wärst du einfach die Treppe zu unserem Schlafzimmer hochgestiegen, aber jetzt bliebst du im Wohnzimmer stehen, vielleicht, weil die Lampen brannten. Ich ging vom Wintergarten ins Wohnzimmer und nahm dich auf den Arm. Du hast gesagt, du könntest nicht schlafen. Vielleicht hast du das gesagt, weil du gehört hattest, dass Mama und ich manchmal miteinander redeten, wenn Papa nicht schlafen konnte.

Ich muss zugeben, dass ich mich unbeschreiblich darüber gefreut habe, dass du aufgewacht warst, dass du zu Papa gekommen bist, als er dich ganz besonders brauchte. Deshalb habe ich auch nicht versucht, dich wieder zum Schlafen zu bringen.

Ich wollte so gern über alles mit dir reden, aber ich wusste auch, dass das nicht möglich war, dazu warst du noch viel zu klein. Trotzdem warst du groß genug, um mich zu trösten. Wenn du es schafftest, wach zu bleiben, wollte ich in dieser Nacht gern ein paar Stunden mit dir zusammensitzen. Es war eine Nacht, in der ich Veronika vielleicht nicht zu wecken brauchte. Sie konnte schlafen.

Ich wusste, dass draußen eine wunderbar sternklare Nacht war, das hatte ich vom Wintergarten aus gesehen. Es ging auf Ende August zu, und vielleicht hattest du den Sternenhimmel noch nie gesehen, jedenfalls nicht im Lauf des hellen Sommerhalbjahres, das hinter uns lag, und im Vorjahr warst du noch zu klein gewesen. Ich zog dir einen warmen Pullover und eine Wollhose an, ich streifte mir die Windjacke über, dann setzten wir uns auf die Terrasse, du und ich. Ich hatte die Lampen im Haus gelöscht, und jetzt knipste ich auch die Lampe auf der Terrasse aus.

Zuerst zeigte ich auf die dünne Mondsichel. Sie stand tief am Osthimmel. Sie beschrieb den Buckel eines a, deshalb nahm der Mond ab. Das habe ich dir erklärt.

Du hast auf meinem Schoß gesessen und all die Geborgenheit in dich aufgenommen, von der du umgeben warst. Und ich trank von der Geborgenheit, die zart und leise von dir ausging. Dann zeigte ich auf alle Sterne und Planeten oben am Himmelsgewölbe. Ich wollte dir so gern von allem erzählen, von dem großen Abenteuer, zu dem auch wir gehörten, von diesem gewaltigen Puzzlespiel, in dem du und ich zwei winzige Teile waren. Auch dieses Märchen hatte Gesetze und Regeln, die wir nicht verstehen konnten, die uns gefallen mochten oder nicht, denen wir uns aber dennoch beugen mussten.

Ich wusste, dass ich dich vielleicht bald verlassen müsste. aber ich konnte es nicht sagen. Ich wusste, dass ich vermutlich dabei war, mich aus diesem großen Abenteuer zu entfernen, in das du und ich nun hineinschauten, aber das konnte ich dir nicht anvertrauen. Also fing ich an, dir von den Sternen zu erzählen, zuerst auf eine Weise, die du verstehen konntest, aber dann hatte ich mich warm geredet und verbreitete mich über den Weltraum, als säße mir ein erwachsener Sohn gegenüber.

Und du hast mich reden lassen, Georg. Es gefiel dir, mir zuzuhören, auch wenn du nicht alle Rätsel deuten konntest, die ich berührte. Vielleicht hast du auch etwas mehr von dem begriffen, was ich sagte, als ich mir vorstellte. Du hast mich jedenfalls nicht unterbrochen und bist auch nicht eingeschlafen. Du schienst zu begreifen, dass du mich in dieser Nacht nicht im Stich lassen durftest. Vielleicht hast du gespürt, dass nicht in erster Linie ich bei dir saß. Sondern du bei mir. Du warst in dieser Nacht der Papasitter.

Ich erzählte, dass es Nacht war, weil die Erde sich um ihre Achse gedreht hatte und jetzt der Sonne den Rücken kehrte. Nur wenn die Sonne gerade auf- oder untergeht, können wir sehen, dass der Erdball sich dreht, erklärte ich. Das konntest du vielleicht verstehen, auch wenn wir ab und zu ein Schlaflied sangen, das mit der Zeile *Die Sonne schließt die Augen, ich schließe meine auch...* beginnt. Kannst du dich an das Lied erinnern?

Ich zeigte auf die Venus und sagte, dieser Stern sei ein Planet, der sich wie die Erde um die Sonne dreht. Die Venus konnten wir um diese Jahreszeit tief am Osthimmel sehen, weil die Sonne sie ebenso beschien wie die Erde. Dann habe ich dir ein Geheimnis anvertraut. Ich sagte, ich dächte immer an Veronika, wenn ich zu diesem Planeten hochschaute, denn die Venus sei die Göttin der Liebe gewesen.

Doch fast all die leuchtenden Punkte, die wir am Himmel sehen konnten, waren richtige Sterne, das erklärte ich dann, und sie leuchteten von selbst, wie die Sonne, denn jeder einzelne kleine Stern am Himmel war eine brennende Sonne. Weißt du, was du dann gesagt hast? »Aber die Sterne machen uns keinen Sonnenbrand«, hast du gesagt.

Es war ein wunderschöner Sommer gewesen, Georg, deshalb hatten wir dich am ganzen Körper mit starkem Sonnenöl einreiben müssen. Ich drückte dich ganz fest an mich und flüsterte: »Das liegt nur daran, dass sie so ungeheuer weit weg sind.«

Während ich das hier schreibe, krabbelst du auf dem Boden herum und baust deine Eisenbahn neu zusammen.

Das ist der Alltag, denke ich. Das ist die Wirklichkeit. Aber die Tür aus der Wirklichkeit hinaus steht schon sperrangelweit offen.

Es gibt hier so viel, was wir verlassen müssen! Es gibt so schrecklich viel zu viel, was wir zurücklassen!

Vor kurzer Zeit wolltest du wissen, was ich auf dem Computer eigentlich schreibe. Ich sagte, ich schriebe einen Brief an meinen besten Freund.

Vielleicht fandest du es seltsam, dass meine Stimme so traurig klang, während ich doch behauptete, an meinen besten Freund zu schreiben. Du sagtest: »Ist er für Mama?«

Ich glaube, ich schüttelte den Kopf. »Mama ist meine Liebste«, sagte ich. »Das ist etwas ganz anderes.«

»Und was bin ich?«, wolltest du dann wissen.

Damit war ich dir in die Falle gegangen. Aber ich setzte dich einfach vor dem Computer auf meinen Schoß, drückte dich an mich und sagte, du seist mein allerbester Freund.

Weitere Fragen hast du dann zum Glück nicht gestellt. Du konntest nicht glauben, dass der Brief für dich bestimmt war. Und auch ich fand die Vorstellung seltsam, dass du ihn eines Tages vielleicht lesen würdest.

Zeit, Georg, was ist Zeit?

Ich erzählte weiter – obwohl ich wusste, dass du das alles nicht mehr verstehen konntest.

Der Weltraum ist sehr alt, sagte ich, vielleicht fünfzehn Milliarden Jahre alt. Und trotzdem hat noch niemand herausfinden können, wie er entstanden ist. Wir leben zusammen in einem großen Märchen, von dem niemand wirklich Ahnung hat. Wir tanzen und spielen und plappern und lachen in einer Welt, deren Entstehung wir nicht begreifen können. Dieser Tanz und dieses Spiel sind die Musik des Lebens, sagte ich. Du findest sie überall, wo es Menschen gibt, so, wie es in allen Telefonen ein Freizeichen gibt.

Jetzt legtest du den Kopf in den Nacken und schautest zu mir hoch. Das mit dem Freizeichen in allen Telefonen hattest du immerhin verstanden. Du hebst so gern den Hörer ab, um es dir anzuhören.

Und dann, Georg, habe ich dir eine Frage gestellt, und zwar dieselbe Frage, die ich dir stellen möchte, jetzt, wo du sie endlich verstehen kannst. Wegen dieser Frage habe ich dir die lange Geschichte vom Orangenmädchen erzählt.

Ich sagte: »Stell dir vor, du stündest irgendwann, vor vielen Jahrmilliarden, als alles erschaffen wurde, auf der Schwelle zu diesem Märchen. Und du hättest die Wahl, ob du irgendwann einmal zu einem Leben auf diesem Planeten geboren werden wolltest. Du wüsstest nicht, wann du leben würdest, und du wüsstest nicht, wie lange du hier bleiben könntest, doch es wäre jedenfalls nur die Rede von wenigen Jahren. Du wüsstest nur, wenn du dich dafür entscheiden würdest, irgendwann auf die Welt zu kommen, dass du, wenn die Zeit reif wäre, wie wir sagen, oder ›wenn die Zeit sich rundet‹, sie und alles darauf auch wieder verlassen müsstest. Vielleicht würde dir das großen Kummer machen, denn viele Menschen finden das Leben in diesem großen Märchen so wunderschön, dass ihnen die Tränen in die Augen treten, wenn sie nur daran denken, dass es irgendwann ein Ende nimmt. So gut kann alles hier sein, dass es schrecklich wehtut, daran zu denken, dass irgendwann einmal keine weiteren Tage kommen.«

Du hast mucksmäuschenstill auf meinem Schoß gesessen. Und ich sagte: »Wofür hättest du dich entschieden, Georg, wenn eine höhere Macht dich vor diese Entscheidung gestellt hätte? Wir können uns vielleicht eine kosmische Fee in diesem großen und rätselhaften Abenteuer vorstellen. Hättest du dich für ein Leben auf dieser Erde entschieden, kurz oder lang, in hunderttausend oder hundert Millionen Jahren?«

Ich glaube, ich atmete zweimal tief durch, ehe ich weiterredete, und dann sagte ich mit harter Stimme: »Oder hättest du dich geweigert, an diesem Spiel teilzunehmen, weil du die Regeln nicht akzeptieren könntest?«

Noch immer saßt du ganz still auf meinem Schoß. Ich wüsste gern, was du dabei gedacht hast. Du warst ein lebendes Wunder. Ich fand, dass deine weizenblonden Haare nach Mandarinen rochen. Du warst ein quicklebendiger Engel aus Fleisch und Blut.

Du warst nicht eingeschlafen. Aber du sagtest nichts.

Ich bin sicher, dass du gehört hattest, was ich sagte, vielleicht hattest du sogar zugehört. Aber was in dir vorging, konnte ich nicht einmal ahnen. Wir schmiegten uns aneinander. Und trotzdem waren wir plötzlich schrecklich weit voneinander entfernt.

Ich drückte dich noch fester an mich, du dachtest vielleicht, um dich zu wärmen. Aber ich habe dich verraten, Georg, denn dann bin ich in Tränen ausgebrochen. Das hatte ich nicht gewollt und ich versuchte sofort mich zusammenzunehmen. Aber ich bin in Tränen ausgebrochen.

Ich hatte mir diese Frage in den vergangenen Wochen schon so oft gestellt. Hätte ich mich für ein Leben auf der Erde entschieden, wenn ich gewusst hätte, dass ich einmal so plötzlich herausgerissen werden würde, vielleicht mitten im Glücksrausch? Oder hätte ich dieses sinnlose »Gib-und-nimm-Spiel« gleich dankend abgelehnt? Denn wir kommen nur einmal auf diese Welt. Wir werden in das große Abenteuer gesetzt. Und dann kommt eine Maus und das Märchen ist aus.

Nein, ich weiß wirklich nicht, wofür ich mich entschieden hätte. Ich glaube, ich hätte diese Bedingungen zurückgewiesen. Vielleicht hätte ich das Angebot, an diesem großen Abenteuer teilzunehmen, mit einem höflichen »Nein« beantwortet, wenn nur von einem kurzen Besuch die Rede gewesen wäre, und vielleicht wäre mein »Nein« nicht einmal so höflich ausgefallen. Vielleicht hätte ich gebrüllt, dass ich über dieses verdammte Dilemma kein Wort mehr hören wolle. Das glaubte ich eigentlich; in dem Moment, als ich dort mit dir auf dem Schoß auf der Terrasse saß, war ich mir ganz sicher, dass ich das ganze Angebot abgelehnt hätte.

Wenn ich mich nicht dafür entschieden hätte, meine Nase in dieses große Abenteuer zu stecken, dann hätte ich auch nicht gewusst, was mir entging. Verstehst du, was ich damit meine? Manchmal ist es bei uns Menschen so, dass es schlimmer ist, etwas zu verlieren, das wir lieben, als dieses Etwas niemals gehabt zu haben. Überleg doch nur: Wenn das Orangenmädchen das Versprechen, dass wir uns nach ihrer Rückkehr aus Spanien ein halbes Jahr lang jeden Tag sehen könnten, nicht gehalten hätte, dann wäre es für mich besser gewesen, ihr nie begegnet zu sein. So ist es auch in anderen Märchen. Glaubst du, Aschenbrödel wäre mit dem Prinzen auf das Schloss zurückgekehrt, wenn man ihr gesagt hätte, dass sie nur eine knappe Woche bei diesem Spiel mitmachen dürfe? Was glaubst du, was es danach für ein Gefühl für sie gewesen wäre, in ihr altes Leben zurückkehren zu müssen, zu Aschenkästen und Feuerhaken, zu der bösen Stiefmutter und den gemeinen Stiefschwestern?

Jetzt bist du mit der Antwort an der Reihe, Georg, jetzt hast du das Wort. Denn als wir dort draußen unter dem Sternenhimmel saßen, beschloss ich, dir diesen langen Brief zu schreiben. Und zwar in dem Moment, als ich plötzlich in Tränen ausbrach. Das passierte nämlich nicht nur, weil ich wusste, dass ich dich und das Orangenmädchen vielleicht bald verlassen müsste. Ich musste weinen, weil du so klein warst. Ich musste weinen, weil wir zwei nicht richtig miteinander reden konnten.

Ich frage noch einmal. Wofür würdest du dich entscheiden, wenn du die Wahl hättest? Würdest du dich für ein kurzes Leben hier auf der Erde entscheiden, um dann nach wenigen Jahren von allem weggerissen zu werden und nie mehr zurückkehren zu dürfen? Oder würdest du dankend ablehnen?

Du hast nur diese Alternative. Denn so sind die Regeln.

Wenn du dich für das Leben entscheidest, entscheidest du dich auch für den Tod.

Aber du – versprich mir, dir das alles gut zu überlegen, ehe du antwortest.

Vielleicht gehe ich jetzt zu weit. Vielleicht tue ich dir jetzt weh. Und dazu habe ich vielleicht nicht das Recht. Aber es ist so ungeheuer wichtig für mich, wie du meine Frage beantwortest, weil ich die direkte Verantwortung dafür trage, dass du hier bist. Du wärst nicht auf der Welt, wenn ich mich ihr verweigert hätte.

Ich empfinde eine Art *Schuldgefühl*, weil ich dazu beigetragen habe, dich in diese Welt zu setzen. In gewisser Weise habe ich dir das Leben gegeben, zusammen mit dem Orangenmädchen natürlich. Aber auf diese Weise sind wir es auch, die es dir eines Tages wieder nehmen werden. Einem kleinen Kind das Leben zu schenken bedeutet nicht nur, diesem Kind das große Weltgeschenk zu machen. Es bedeutet auch, ihm dieses unvorstellbare Geschenk wieder wegzunehmen.

Ich muss dir gegenüber ehrlich sein, Georg. Ich sage also, dass ich das Angebot einer solchen blitzschnellen Schnupperreise in das große Abenteuer wohl dankend abgelehnt hätte. So sehe ich das. Und wenn du das auch so siehst, dann habe ich ein schlechtes Gewissen, wenn ich daran denke, was ich hier angerichtet habe.

Ich ließ mich vom Orangenmädchen verführen, ich ließ mich durch die Liebe verlocken, ich fand den Gedanken an ein Kind unwiderstehlich. Was habe ich falsch gemacht, frage ich mich. Diese Frage bedeutet für mich einen blutigen Gewissenskonflikt. Und sie bringt das Bedürfnis mit sich, hinter mir Ordnung zu schaffen.

Aber Georg, jetzt kann sich ein neues Dilemma zeigen, und zwar eins, das vielleicht nicht so schwierig – oder bösartig – ist wie das erste. Wenn *du* antwortest, dass du dich trotz allem für das Leben entschieden hättest, und sei es auch nur für einen kurzen Moment, dann darf ich mir eigentlich auch nicht wünschen, nie geboren zu sein.

Auf diese Weise kann diese Gleichung doch noch aufgehen, auf diese Weise kann ein Gleichgewicht geschaffen werden. Und das ist natürlich meine Hoffnung. Ja, deshalb schreibe ich.

Du kannst mir nicht direkt auf meine große Frage antworten. Aber du kannst es indirekt. Du kannst dadurch antworten, wie du dieses Leben leben willst, das damit anfing, dass Veronika und ich und ein pflichtvergessener Arzt im Krankenhaus mit Champagner auf dich angestoßen haben. Dieser Champagnerarzt war deine gute Fee, da bin ich mir sicher.

Jetzt kannst du diesen Gruß von mir beiseite legen. Jetzt bist du mit Leben an der Reihe.

Ich komme morgen ins Krankenhaus. Das ist mein wichtiger Termin. Und danach wird Mama dich in den Kindergarten bringen.

Auch das muss ich schreiben. Und ich muss hinzufügen: Ich kann nicht versprechen, dass ich jemals wieder in den Humlevei zurückkehren werde.

Georg! Ich habe eine letzte Frage: Kann ich sicher sein, dass es nach diesem kein anderes Dasein mehr gibt? Kann ich davon überzeugt sein, dass ich nicht irgendwo sein werde, wenn du diesen Brief liest? Nein, ganz sicher kann ich nicht sein. Denn wenn die Welt existiert, dann sind die Grenzen des Unwahrscheinlichen bereits überschritten. Verstehst du, wie ich das meine? Ich bin schon so satt vom Staunen darüber, dass es eine Welt gibt, dass ich keinen Platz für noch mehr Staunen habe, wenn es sich herausstellen sollte, dass es danach noch eine Welt gibt.

Ich weiß noch, dass wir vor zwei Tagen ein paar Stunden mit einem Computerspiel totgeschlagen haben. Vielleicht habe ich dieses Spiel besonders genossen, ich brauchte unbedingt eine Ablenkung von meinen vielen Gedanken. Aber immer, wenn wir in diesem Spiel »starben«, dann tauchte sofort ein neues Spielfeld auf und wir konnten wieder loslegen. Woher wollen wir wissen, ob es nicht auch für unsere Seelen so ein »neues Spielfeld« gibt? Ich glaube es nicht, wirklich nicht. Aber der Traum vom Unwahrscheinlichen hat einen eigenen Namen. Wir nennen ihn »Hoffnung«.

AN DIESE NACHT DRAUSSEN AUF DER TERRASSE KANN ICH MICH ERINNERN! Die hat sich in meinem Rückenmark festgesetzt. Sie ist in mein Herz eintätowiert. Und als ich jetzt darüber las, lief es mir mehrere Male eiskalt den Rücken hinunter.

Bisher hatte ich das alles so gut wie vergessen, jedenfalls hätte ich nie wieder an diese Sternennacht gedacht, wenn ich nicht darüber gelesen hätte, aber jetzt konnte ich mich fast zu

deutlich an sie erinnern. *VIELLEICHT IST DAS DIE EIN-
ZIGE ECHTE ERINNERUNG, DIE ICH AN MEINEN VATER
HABE.*

*An unsere Besuche im Ferienhaus kann ich mich nicht erin-
nern. Und so große Mühe ich mir auch gebe, ich kann mich
auch nicht an unsere Spaziergänge am Sognsvann erinnern.
Aber an die verhexte Nacht draußen auf der Terrasse erinnere
ich mich. Das heißt: In meiner Erinnerung sieht sie ganz anders aus. Da erscheint sie als Märchen oder als farbenfroher
Traum.*

*Ich war wach geworden. Und dann kam Papa von der Ve-
randa herein und hob mich hoch in die Luft. Er sagte, wir
würden draußen fliegen gehen. Wir würden die Sterne sehen,
sagte er. Wir würden durch den Weltraum fliegen. Deshalb
musste er mich warm anziehen, denn im Weltraum war es bit-
terkalt. Papa wollte mir die Sterne am Himmel zeigen. Das
musste er. Es war unsere einzige Möglichkeit und die mussten
wir nutzen.*

*Und ich wusste, dass Papa krank war! Aber er wusste nicht,
dass ich es wusste. Mama hatte mir das Geheimnis anvertraut.
Sie sagte, Papa müsse vielleicht ins Krankenhaus und sei deshalb so traurig. Ich glaube mich zu erinnern, dass sie es mir an
diesem Nachmittag gesagt hatte. Vielleicht war ich deshalb
aufgewacht, vielleicht konnte ich deshalb nicht schlafen.*

*Jetzt erinnerte ich mich deutlich an die lange Raumfahrt-
nacht mit meinem Vater, draußen auf der Terrasse. Ich glaube,
ich hatte begriffen, dass mein Papa uns vielleicht verlassen
würde. Aber vorher wollte er mir noch etwas zeigen.*

Und dann – es läuft mir auch jetzt, beim Schreiben, eiskalt über den Rücken –, während wir durch den Weltraum reisten, brach Papa plötzlich in Tränen aus. Ich wusste, warum er weinte, aber er wusste nicht, dass ich es wusste. Deshalb konnte ich nichts sagen. Ich musste einfach mucksmäuschenstill dasitzen. Was jetzt passieren würde, war zu gefährlich, um darüber zu reden.

Aber das ist noch nicht alles: Seit dieser Nacht habe ich immer gewusst, dass auf die Sterne am Himmel kein Verlass ist. Sie können uns jedenfalls vor nichts retten. Auch die Sterne am Himmel müssen wir eines Tages verlassen.

Als Papa und ich zusammen durch den Weltraum segelten und er plötzlich in Tränen ausbrach, begriff ich, dass auf der ganzen Welt auf nichts Verlass ist.

Nachdem ich die letzten Seiten des Briefes gelesen hatte, ging mir endlich auf, warum ich mich immer so für den Weltraum interessiert hatte. Mein Vater hatte mir dafür die Augen geöffnet. Er hatte mich gelehrt, von allem, was uns hier unten beschwert, hochzuschauen. Ich war schon ein kleiner Hobby-Astronom gewesen, als mir das noch längst nicht bewusst gewesen war.

Also brauchte ich mich auch nicht mehr darüber zu wundern, dass mein Vater und ich uns für das Hubble-Teleskop interessierten. Ich hatte dieses Interesse doch von ihm! Ich hatte einfach dort weitergemacht, wo er aufgehört hatte. Es war eine Art Erbe. Und war es nicht immer schon so gewesen? Die ersten Vorbereitungen für das Hubble-Teleskop wurden schon in der Steinzeit getroffen. Nein, das stimmt nicht, die allererste Vorarbeit fand einige Mikrosekunden *nach dem Urknall statt, durch den Zeit und Raum erschaffen worden waren.*

Es gibt den Begriff: ein Samenkorn auslegen. Und das hat mein Vater vor seinem Tod noch geschafft. Auf eine Weise war er es, dem ich das Thema für meine große Hausarbeit verdankte. Ich glaube nicht, dass mein Vater sich sonderlich für englischen Fußball interessierte. Zu seinem Glück hatte er die Spice Girls nie zu hören brauchen. Und welches Verhältnis er zu Roald Dahl hatte, weiß ich nicht.

Ich war mit Lesen fertig. Ich hatte ein wenig nachgedacht, dann klopfte Mama noch einmal an die Tür.

»Georg?«, fragte sie nur.

Ich sagte, ich sei mit Lesen fertig.

»Aber dann kommst du doch sicher bald zu uns?«

Ich sagte, sie müsse zu mir hereinkommen.

Dann öffnete ich die Tür und ließ sie ein. Zum Glück zog sie die Tür ganz schnell hinter sich zu. Es war mir überhaupt nicht peinlich, dass ich Tränen in den Augen hatte. Auch Mama hatte bei ihren ersten Begegnungen mit meinem Vater Tränen in den Augen gehabt. Und jetzt war er mir begegnet.

Ich legte dem Orangenmädchen die Arme um den Hals und sagte: »Mein Papa hat uns verlassen.«

Mama drückte mich an sich. Auch sie weinte.

Sie saß lange schweigend auf der Bettkante. Dann fragte sie, was mein Vater mir geschrieben habe. »Du kannst dir doch denken, dass ich schrecklich gespannt bin«, sagte sie. »Und irgendwie habe ich auch Angst. Ich fürchte mich fast ein wenig davor, es zu lesen.«

Ich sagte, mein Vater habe einen einzigen langen Liebes-
brief geschrieben, und Mama meinte natürlich, es sei ein
Liebesbrief an mich. Ich musste es ihr ganz vorsichtig beibrin-
gen. Ich erklärte, mein Vater habe einen Liebesbrief geschrie-
ben, an sie, an das Orangenmädchen.

Dann sagte ich: »Ich war Papas bester Freund. Aber du
warst seine Liebste. Das ist etwas ganz anderes.«

Sie blieb lange schweigend auf der Bettkante sitzen. Sie war
noch immer jung. Nachdem ich den ganzen langen Bericht
über das Orangenmädchen gelesen hatte, konnte ich sehen,
wie schön sie war. Sie hatte wirklich ein wenig Ähnlichkeit
mit einem Eichhörnchen. Aber vor allem sah sie aus wie ein
altes Vogeljunges. Ich sah, dass ihr Schnabel zitterte.

Ich fragte: »Wer war mein Vater?«

Jetzt fuhr sie zusammen. Sie wusste ja nicht genau, was ich
in diesen vielen Stunden gelesen hatte. Sie sagte: »Das war
natürlich Jan Olav.«

»Aber wer war er? Wie war er, meine ich.«

»Ach ...«

Nach und nach stellte sich in ihren Mundwinkeln ein Mona-
Lisa-Lächeln ein. Sie schaute mich mit fast verschleiertem
Blick an. Und mir fiel außerdem auf, was mein Vater mehrere
Male erwähnt hatte. Ich sah, wie konzentriert sie war. Ich sah,
wie ihre braunen Augen umherirrten oder einen unruhigen
Tanz aufführten.

Sie sagte: »Er war einfach ungeheuer lieb ... ein wirklich sel-
tener Mensch, das war er. Und er war ein großer Tagträumer,
vielleicht ein Geschichtenspinner... wieder und wieder konnte
er das Leben als Märchen bezeichnen, und ich glaube wirklich,

dass er so ein... fast magisches Lebensgefühl hatte. Er war außerdem ungeheuer romantisch... aber das waren wir ja beide. Und dann wurde er plötzlich krank, und ich kann nicht verhehlen, dass er dem Tod mit unendlicher Trauer entgegentrat. Es tat weh, das mit anzusehen, es tat sehr weh. Er hat mich wohl sehr lieb gehabt... und dich natürlich auch... ja, er hat dich vergöttert. Und er wollte uns einfach nicht verlieren. Aber er konnte sich auch nicht gegen seine Krankheit wehren, hart und brutal wurde er von uns losgerissen. Er konnte sich niemals mit seinem Schicksal abfinden, das gelang ihm nicht, auch ganz zuletzt nicht. Deshalb hinterließ er auch eine so große Leere... aber es gibt ein Wort, das mir jetzt nicht einfällt...«

»Ich habe Zeit genug.«

»Er war das, was man als Schwärmer bezeichnet. Das wollte ich sagen.«

Jetzt musste ich lächeln. Ich sagte: »Und er war ehrlich. Er besaß außerdem eine gute Portion Selbsterkenntnis. Es fehlte ihm nicht einmal an Selbstironie. Und diese Eigenschaft haben nicht alle Menschen.«

Mama schaute mich verständnislos an. Sie sagte: »Vielleicht. Aber woher weißt du das?«

Ich zeigte auf den Blätterstapel. »Irgendwann kannst du das alles lesen«, sagte ich. »Dann weißt du, was ich meine.«

Wieder musste das Orangenmädchen sich die Augen wischen. Aber wir konnten nicht länger auf meinem Zimmer herumflennen. Was sollte Jørgen denken? Ich beneidete ihn nicht.

»Wir müssen zu den anderen gehen«, sagte ich.

Als wir das Wohnzimmer betraten, kam ich mir viele Jahre älter vor als einige Stunden zuvor, als ich mit dem Brief meines Vaters auf mein Zimmer gegangen war. Ich kam mir so erwachsen vor, dass ich nicht auf die neugierigen Blicke achtete, mit denen ich gemustert wurde.

Der große Esstisch war mit kalten Gerichten gedeckt. Es gab Brathähnchen und Schinken, Waldorfsalat mit Orangenscheiben und eine große Schüssel grünen Salat. Wir nahmen alle fünf Platz und ich setzte mich ans Tischende.

Wenn viele Menschen zusammen sind, sagt Mama oft: »Jemand muss hier Regie führen.« Jetzt hatte ich das Gefühl, dass ich die Regie übernahm. Sie starrten mich sowieso alle an. Auf irgendeine Weise war ich hier die Hauptperson.

Als wir uns gesetzt hatten, schaute ich in die Runde und sagte: »Ich habe einen langen Brief gelesen, den mein Vater mir kurz vor seinem Tod geschrieben hat. Und ich kann verstehen, dass ihr alle wissen wollt, was er mir zu sagen hatte...«

Im Zimmer war alles still. Was wollte ich eigentlich sagen? Und wie sollte es weitergehen?

Ich sagte: »Dieser Brief war also an mich. Aber ich war nicht der Einzige, der meinen Vater geliebt hat. Und jetzt habe ich eine gute und eine schlechte Nachricht. Ich nehme die gute zuerst. Alle Anwesenden dürfen den ganzen Brief lesen. Auch Jørgen. Die schlechte Nachricht ist, dass ihr es heute Abend noch nicht dürft.«

Oma hatte gespannt dagesessen und sich über den Tisch gebeugt. Jetzt huschte ein Schatten der Enttäuschung über ihr Gesicht. Dieser Schatten war der Beweis dafür, dass sie den

Brief meines Vaters noch nicht gelesen hatte, weder jetzt noch damals, vor elf Jahren. Der Brief hatte wirklich elf Jahre im Polster der alten Kinderkarre gesteckt.

Ich sagte: »Der Brief meines Vaters – das muss sich alles erst ein bisschen setzen, ehe alle anfangen darüber zu reden. Außerdem brauche ich Zeit zum Überlegen, was ich ihm auf eine bedeutungsschwere Frage aus seinem Brief antworte. Und nicht zuletzt muss ich herausfinden, wie ich ihm antworten soll.«

Alle schienen meine Entscheidung zu akzeptieren. Niemand setzte mir noch zu und wollte mehr wissen. Jørgen erhob sich sogar und kam zu mir herüber. Er klopfte mir kumpelhaft auf die Schulter und sagte: »Das klingt vernünftig, Georg. Ich glaube, du hast Recht, dass sich alles erst ein bisschen setzen muss.«

Und ich sagte: »Außerdem ist schon fast Mitternacht. Es wird Zeit, dass wir ein wenig Schlaf abbekommen.«

Ich hörte, wie erwachsen und feierlich ich mich ausgedrückt hatte. Ich war jetzt erwachsen.

Aber in dieser Nacht konnte ich kein Auge zumachen. Es war schon längst still im Haus geworden und ich lag noch immer im Bett und schaute hinaus in die weiße Landschaft. Es schneite jetzt seit Stunden nicht mehr.

Mitten in der Nacht zog ich mich an. Ich nahm auch meine Daunenjacke, Mütze, Schal und Handschuhe. Dann ging ich durch den Wintergarten hinaus auf die Terrasse. Ich wischte den Schnee von der schmiedeeisernen Bank und setzte mich. Die Lampe über der Tür hatte ich ausgeschaltet.

Ich schaute hinauf in einen Funken sprühenden Sternenhimmel und versuchte, die Stimmung von damals, als ich hier auf dem Schoß meines Vaters gesessen hatte, noch einmal zu erleben. Ich glaube, ich wusste noch, wie er mich an sich gepresst hatte. Ich glaubte mich zu erinnern, dass er das tat, weil ich nicht aus dem Raumschiff fallen wollte. Und dann war der große Mann mit der dröhnenden Stimme plötzlich in Tränen ausgebrochen.

Ich versuchte an die bedeutungsschwere Frage zu denken, die er mir gestellt hatte. Aber ich wusste einfach nicht, was ich antworten sollte.

Zum ersten Mal in meinem Leben wusste ich genau, dass auch ich irgendwann diese Welt verlassen und alles verlieren würde. Das war eine scheußliche Vorstellung. Das war eine unerträgliche Vorstellung. Und mein Vater hatte mir für das alles die Augen geöffnet. Das allerdings fand ich nicht scheußlich. Es tat gut zu wissen, womit ich es zu tun hatte. Es war so ähnlich, wie Gewissheit darüber zu haben, wie viel Geld ich auf der Bank hatte. Es war außerdem eine wunderbare Vorstellung, dass ich erst fünfzehn Jahre alt war.

Dennoch: Vielleicht wäre es trotz allem besser gewesen, wenn ich nie geboren worden wäre, denn ich war schon jetzt schrecklich traurig, weil ich irgendwann von hier fort musste. Aber ich beschloss, das zu tun, was mein Vater in seinem Brief geschrieben hatte. Ich wollte mir Zeit lassen, um seine schwierige Frage zu beantworten.

Ich legte den Kopf in den Nacken und schaute zu den vielen Sternen und Planeten hinauf. Ich versuchte mir vorzustellen, dass ich in einem Raumschiff saß. Mehrere Male entdeckte ich auch eine Sternschnuppe. Und ich blieb lange so sitzen.

Nach langer Zeit hörte ich eine Tür. Mama kam auf die Terrasse. Es wurde gerade ein wenig heller.

»Hier sitzt du?«, fragte sie. Das sah sie doch.

»Ich konnte nicht schlafen«, sagte ich nur.

»Ich auch nicht«, sagte sie.

Ich sah sie an und sagte: »Zieh dich einfach warm an und setz dich zu mir, Mama.«

Sie war bald wieder da. Sie trug den schwarzen Wintermantel, den sie schon mein Leben lang gehabt hatte. Trotzdem konnte ich nicht ganz sicher sein, dass sie ihn auch damals im Dom getragen hatte. Doch als sie dann auf der Bank saß, sagte ich: »Jetzt fehlt dir nur noch die große silberne Haarspange.«

Sie schlug die Hand vor den Mund. Dann fragte sie: »Hat er darüber geschrieben?«

Als Antwort auf diese Frage zeigte ich auf einen großen Planeten, der gerade am Osthimmel aufstieg. Es war ganz bestimmt ein Planet, denn er funkelte nicht wie die anderen Sterne; ich war zu neunundneunzig Prozent sicher, dass es sich um die Venus handelte.

Ich fragte: »Siehst du den Planeten da oben? Das ist die Venus, sie wird auch Morgenstern genannt. Wenn mein Vater diesen Planeten gesehen hat, hat er immer an dich gedacht.«

Wenn der Kopf von gewaltigen Gedanken erfüllt ist, kann man entweder etwas sagen oder stumm bleiben. Mama blieb stumm.

Nach einer Weile sagte ich: »Hier habe ich mit meinem Vater eine ganze Nacht gesessen, ehe er ins Krankenhaus musste.

Darüber kannst du in seinem Brief mehr lesen. Aber jetzt sitzen wir beide hier.«

»Georg«, sagte jetzt Mama, »ich freue mich auf diesen Brief und ich fürchte mich davor. Ich möchte, dass du zu Hause bist, wenn ich ihn lese. Kannst du mir das versprechen?«

Darauf gab ich ihr die Hand. Ich konnte mir vorstellen, dass es wichtig für Mama war, mich in der Nähe zu wissen, wenn sie den Brief meines Vaters las. Es konnte nicht Jørgen sein, der das Orangenmädchen tröstete, nachdem sie den langen Brief von Jan Olav gelesen hatte. Aber auch er würde den Brief meines Vaters lesen dürfen, o ja. So leicht wollte ich ihm die Sache schließlich nicht machen.

Ich sagte: »Als wir damals in dieser Nacht hier draußen saßen, hat mein Vater mir gesagt, dass er uns verlassen muss.«

Sie fuhr herum und sagte: »Weißt du, Georg… ich weiß nicht, ob ich jetzt noch weiter darüber reden kann. Ich glaube, dass du das respektieren musst. Verstehst du nicht, dass du alte Wunden wieder aufreißt? Kannst du das nicht verstehen?«

Sie war fast böse. Sie war böse.

»Doch, sicher«, sagte ich. »Das verstehe ich.«

Wir blieben lange sitzen, sagten aber nicht viel. Vielleicht saßen wir eine ganze Stunde dort. Ich war beeindruckt. Mama klagte sonst immer, dass sie so leicht fror.

Ich zeigte jedes Mal hoch, wenn ich am Himmel etwas Neues entdeckte, aber bald verblassten die Sterne immer mehr und zogen sich schließlich ganz zurück, als es hell wurde.

Ehe wir uns trennten, zeigte ich wieder zum Himmel und

sagte: »Da oben schwebt ein großes Auge. Es wiegt über elf Tonnen, ist so groß wie eine Lokomotive und bewegt sich mit Hilfe von zwei weit ausgebreiteten Flügeln.«

Ich sah, dass Mama zusammenzuckte, denn was wollte ich wohl damit sagen?

Ich hatte ihr keine Angst machen wollen und ich wollte ihr auch keine Gespenstergeschichte erzählen. Um sie zu beruhigen, fügte ich deshalb rasch hinzu: »Das Hubble-Teleskop. Das ist das Auge des Universums.«

Sie lächelte ein typisches Mamalächeln, dann streckte sie den Arm aus und versuchte meine Haare zu streicheln. Aber ich konnte rechtzeitig den Kopf einziehen. Sie hielt mich noch immer für ein Kind. Vielleicht glaubte sie, dass ich an meine Hausarbeit dachte.

»Irgendwann müssen wir herausfinden, was das alles eigentlich ist«, sagte ich.

An diesem Tag brauchte ich nicht in die Schule zu gehen. Ich könne dem Lehrer doch einfach die Wahrheit sagen, meinte meine Großmutter. Ich brauchte nur zu sagen, dass ich einen Brief von meinem seit elf Jahren toten Vater bekommen hätte. In solchen Situationen kann es gut tun, kurz durchzuatmen, fügte sie hinzu.

In solchen Situationen, dachte ich. Ich hatte es nicht für so normal gehalten, einen Brief von einem toten Elternteil zu erhalten.

Oma und Opa mussten nach Tønsberg zurückfahren, ohne den Brief meines Vaters gelesen zu haben. Ich versprach, dass sie ihn spätestens in einer Woche bekommen würden. Oma war ein bisschen sauer, weil sie so lange warten musste. Sie hatte den Brief doch schließlich gefunden, sie hatte auf diese Fahrt nach Oslo gedrängt. Aber Opa erinnerte sie daran, was Jørgen gesagt hatte.

Jørgen musste an diesem Tag früh zur Arbeit, ich sah ihn nur ganz kurz. Mama und ich dagegen blieben zu Hause. Am späten Vormittag nickte ich auf dem gelben Sofa ein, weil ich die ganze Nacht kein Auge zugetan hatte. Als ich aufwachte, stiegen wir auf den Dachboden und fingen an zu räumen.

Ich bat Mama, alle alten Bilder aus Sevilla herauszusuchen. Zum Glück hatte sie keins weggeworfen, obwohl sie wieder behauptete, »über diese Bilder hinausgewachsen« zu sein. Sie sagte das gerade in dem Moment, als sie das alte Porträt meines Vaters hervorholte, das sie damals aus dem Gedächtnis gemalt hatte. Wir gaben beide keinen Kommentar zu dem Bild ab, doch als ich es sah, zuckte ich zusammen. Einen so blitzblauen Blick hatte ich noch auf keinem Gemälde gesehen. Ich dachte, dass dieser Blauton sicher viel Kobalt enthielt. Und ich dachte, diese Augen müssen etwas gesehen haben, was kein anderer Mensch je entdeckt hatte.

»Aber über Papa bist du nicht hinausgewachsen«, sagte ich. Ich sagte es nicht als Frage, sondern eher als Befehl.

Ich brachte sie dazu, das alte Bild mit den Orangenbäumen wieder an die alte Stelle zu hängen. Wir nahmen ein anderes Bild von der Wand und brachten das alte genau dort an, wo es gehangen hatte, als mein Vater hier vor seinem Computer gesessen hatte. Das war zu der Zeit gewesen, als er wie ein Storch durch das Zimmer steigen musste, um nicht über meine Eisen-

bahnschienen zu stolpern. Es war in einer anderen Zeit gewesen, als jetzt war.

Ich fand, das Bild der Orangenbäume hänge genau an der richtigen Stelle, und es sah wirklich nicht schlecht aus. Mit dieser kleinen Rückkehr zum ursprünglichen Zustand musste Jørgen sich einfach abfinden, fand ich. Und das sagte ich auch.

Die Eisenbahn entdeckten wir auf dem Dachboden in einem riesigen Karton. Wir fanden auch den alten Computer. Ich trug ihn nach unten, steckte die Stecker für Bildschirm und Festplatte ein und versuchte, ins Textprogramm einzusteigen. Es war ein altes DOS-Gerät, das Textprogramm hieß Word Perfect. Der Vater eines Klassenkameraden arbeitete noch immer mit einem solchen Museumsstück und ich hatte schon mehrere Male davor gesessen.

Aber das Programm verlangte ein Passwort von höchstens acht Buchstaben, um mir Zugang zu den Dokumenten zu gewähren, die mein Vater geschrieben hatte. Und dieses Passwort hatten die anderen vor elf Jahren nicht erraten können.

Mama stand hinter mir, während ich mein Glück versuchte. Sie sagte, sie hätten es mit vielen verschiedenen Wörtern versucht, und auch mit vielen Zahlen, zum Beispiel mit Geburtstagen, Autonummern und Personenkennnummern.

Ich hatte den Verdacht, dass sie nicht sonderlich viel Fantasie entwickelt hatten. Bald gab ich folgendes Wort mit weniger als acht Buchstaben ein: O – R – A – N – G – E. Und der Apparat machte »pling« und zeigte mir eine Übersicht der Dateien auf der Festplatte.

Zu behaupten, Mama sei beeindruckt gewesen, wäre eine

Untertreibung. Sie fasste sich an den Kopf und wäre fast in Ohnmacht gefallen.

Ein <dir> bei alten Computern entspricht dem, was in modernen Geräten »Datei« genannt wird. Und auch diese <dir> hatten Namen von höchstens acht Buchstaben. Eins hieß »Veronika«. Ich benutzte die Pfeiltasten und drückte auf »Enter«. Diese alten Computer hatten noch keine Maus. Und jetzt wurde nur ein einziges Dokument angezeigt, es hieß »Georg.bri«. Ich drückte wieder auf »Enter«. Und schwupp – da saß ich vor genau dem Text, den ich am Abend zuvor auf meinem Zimmer gelesen hatte. Sitzt du gut, Georg? Auf jeden Fall musst du fest sitzen, denn ich werde dir eine nervenaufreibende Geschichte erzählen ... *Ich drückte auf HOME, HOME und den senkrechten Pfeil, um das ganze Dokument durchlaufen zu lassen. Es dauerte eine Ewigkeit, sicher zehn Sekunden. Und ja, der allerletzte Satz in diesem Text lautete:* Aber der Traum vom Unwahrscheinlichen hat einen eigenen Namen. Wir nennen ihn »Hoffnung«.

Das Genialste an meinem Fund war Folgendes: Als ich beschlossen hatte, dieses Buch zusammen mit meinem Vater zu schreiben, hatte ich mir eine richtige Bastelarbeit mit Schere und Klebestift vorgestellt. Und jetzt war alles viel einfacher, als ich erwartet hatte, denn jetzt konnte ich einfach in das alte Dokument hineingehen und in den Text meines Vaters hineinschreiben. Auf diese Weise hatte ich wirklich das Gefühl, dass ich ein Buch mit ihm zusammen schrieb.

Nach allerlei Gefummel konnte ich auch den alten Drucker anwerfen. Es war ein so genannter Typenraddrucker, und er ist so unglaublich, dass ich eigentlich Angst davor haben müsste, dass Geheimagenten des Technischen Museums auftauchen, um ihn mir zu stehlen. Er macht einen Höllenlärm und braucht vier Minuten für eine einzige Seite! Das liegt daran, dass jeder einzelne Buchstabe mit einem Hämmerchen geschlagen wird, das auf ein Farbband auftrifft, das auf das Papier drückt. Als mein Vater vor elf Jahren gestorben ist, war das ein hochmodernes Verfahren!

Ich schreibe jetzt auf dem alten Computer. Jetzt, meine ich. Das Letzte, was ich eingegeben habe, war: Ich schreibe jetzt auf dem alten Computer. Jetzt, meine ich.

Mama besitzt eine Platte, die Unforgettable heißt. Es ist eine ganz einzigartige Aufnahme, denn darauf singt Natalie Cole ein Duett mit ihrem Vater, dem berühmten Nat »King« Cole. Das klingt vielleicht nicht besonders umwerfend, doch es geht darum, dass Natalie Cole dieses Duett mit ihrem Vater fast dreißig Jahre nach dessen Tod singt. Rein technisch war das kein großes Problem. Natalie Cole brauchte nur über die alte Spur von Nat »King« Coles Aufnahme zu singen. Man könnte fast sagen, dass sie die Stimme ihres Vaters auf ein neues Spielfeld verlegt hat.

Technisch gesehen war es also keine Leistung, ein Duett mit einem Mann zu singen, der seit fast dreißig Jahren tot war. Es war vielleicht eher eine seelische Anstrengung. Aber das Duett ist wirklich toll. Es ist »unforgettable«.

Ich will diese Geschichte jetzt nicht weiter auswalzen. Zwei Dinge stehen aber noch aus. Das eine ist die Antwort, die ich meinem Vater auf seine schwierige Frage geben muss. Und dann gibt es noch etwas anderes. Ich werde dieses andere zuerst erledigen, denn ich habe beschlossen, dass dieses Buch mit meiner Antwort auf die bedeutungsschwere Frage enden soll.

Nachdem wir uns eine Weile mit alten Gemälden und einem antiquarischen Computer beschäftigt hatten, ging Mama in die Küche, um Kokosmakronen zu backen. Sie wusste, dass ich die über alles liebe, deshalb buk sie sie an diesem besonderen Tag. Aber auch Miriam ist total verrückt nach Kokosmakronen.

Als der Geruch der frisch gebackenen Makronen durchs Haus schwebte, ging ich hinüber in die Küche. Ich dachte, ich könnte vielleicht eine Makrone erbetteln. Und ich wollte Mama eine Frage stellen. In der Geschichte über das Orangenmädchen gab es nämlich einen lose hängenden Faden. Mama hatte sie noch nicht gelesen.

Sie bestrich gerade zwei Makronen mit Glasur. Auf dem Küchentisch stand eine Tüte mit Kokosflocken, mit denen sie die Puderzuckerglasur bestreuen wollte.

Ich fragte: »Und wer war der Mann in dem weißen Toyota?«

Ich hatte das nur aus Jux gefragt. Fast um sie zu necken. Ich wusste ja schon, dass es sich um einen Verflossenen gehandelt hatte. Das hatte sie jedenfalls meinem Vater gesagt.

Aber jetzt wirkte sie seltsam ratlos. Zuerst drehte sie sich zu mir um und war blass um den Schnabel, wie man sagt. Dann setzte sie sich an den Küchentisch.

Sie seufzte: »Darüber hat er also auch geschrieben!«

»Ich glaube, er war ein bisschen eifersüchtig«, sagte ich.

Als sie schwieg, fragte ich noch einmal: »*Kannst du nicht einfach erzählen, wer damals in dem weißen Toyota gesessen hat?*«

Sie starrte mich nachdenklich an. Dann schien sie zu beschließen, die Stahlwand einfach glatt durchzutrennen.

Mit ziemlich leiser Stimme sagte sie: »*Das war Jørgen.*«

Mir wurde schwindlig. »*Jørgen?*«, *fragte ich. Sie nickte. Mir wurde noch schwindliger.*

Ich nahm die Tüte mit den Kokosflocken und streute den Inhalt auf den Boden. Ich drehte die Tüte um und ließ alles herausfallen.

»*Es schneit*«, *sagte ich.*

Mama saß noch immer am Küchentisch. Es war ja auch zu spät, um mich zurückzuhalten. Sie fragte nur: »*Warum hast du das getan?*«

»*Weil du dumm wie eine Kokosnuss bist*«, *rief ich laut.* »*Du warst mit zwei Männern gleichzeitig zusammen!*«

Das wies sie energisch zurück. »*So war das nicht*«, *sagte sie.* »*Nachdem ich Jan Olav kennen gelernt hatte, gab es nur noch ihn.*«

Ich sagte: »*Und als Jan Olav tot war, gab es dann nur noch Jørgen?*«

»*Nein*«, *sagte sie.* »*So war das auch nicht. Ich habe Jørgen erst Jahre später wieder gesehen. In diesen Jahren gab es nur dich und mich, das weißt du doch. Aber als ich Jørgen dann wieder gesehen habe, habe ich ihn auch wieder lieb gewonnen. Wir haben lange gebraucht, um uns für ein gemeinsames Leben zu entscheiden, lange.*«

Jetzt tat mir das alte Vogeljunge fast Leid. Es war noch im-

mer blass um den Schnabel. Trotzdem sagte ich: »Dann darf man vielleicht fragen, welchen der beiden Herren das Orangenmädchen mehr geliebt hat?«

»Nein«, erwiderte sie wie aus der Pistole geschossen. »Das darf man nicht.«

Sie war nicht böse, aber sie war entschlossen. Dann brach sie in Tränen aus.

Ich beschloss, die Frage auf sich beruhen zu lassen, denn das hatte ich von meinem Vater gelernt: Ich hatte nicht das Recht, in etwas einzudringen, das nicht mir gehörte. Ich musste mich davor hüten, einem Märchen, das seine Regeln nicht mit mir teilen wollte, zu nahe zu treten.

Aber ich hatte auch ein Recht auf meine eigenen Gedanken.

Das, was ich gehört hatte, gefiel mir nun einmal nicht. Denn auf diese Weise hatte der Mann im weißen Toyota am Ende doch gewonnen. Das war nicht seine Schuld. Vielleicht war es niemandes Schuld. Aber ich freute mich darüber, dass mein Vater es nie erfahren hatte.

Vielleicht war im Grunde alles nur sein Fehler gewesen. Er hatte sich nicht an die Regeln halten können. Hatte nicht ein halbes Jahr auf das Orangenmädchen gewartet. Deshalb hatte er auch schon nach wenigen Stunden die tote Taube im Rinnstein gesehen, eine weiße Taube zu allem Überfluss.

Ich werde immer an meinen Vater als an eine weiße Taube denken. Aber ich bin nicht so sicher, ob ich an das Schicksal glaube. Ich glaube, mein Vater hat das auch nicht getan. Sonst hätte er sich wohl kaum so sehr für das Hubble-Teleskop interessiert.

Später an diesem Nachmittag aßen wir zusammen mit Jør-gen und Miriam Kokosmakronen mit Schokoladenguss. Wir hatten auch zwei mit Puderzucker. Die gaben wir Jørgen und Miriam. Ich fand, das waren wir ihnen schuldig.

Einige Tage nach dem Makronenfest sitze ich noch immer vor dem alten Computer. Ich muss mich jetzt entscheiden, wie ich die schwierige Frage beantworten soll, die mein Vater mir ge-stellt hat. Ich habe eine so genannte »dead line« und die ist morgen. Noch hat niemand den Brief meines Vaters lesen dür-fen. Aber morgen kommen meine Großeltern zum Sonntags-kaffee. Und damit ist die Frist beendet.

Ich habe in den letzten Tagen fast nur an die schwierige Frage gedacht, zu der ich mich jetzt äußern muss. Ich habe den langen Brief viermal gelesen und gedacht: mein armer, armer Vater. Er tut mir wirklich schrecklich Leid, denn er ist nicht mehr hier. Doch das, was er geschrieben hat, gilt ja nicht nur für ihn. Es gilt für alle Menschen auf der ganzen Welt, für die, die vor uns hier waren, für die, die jetzt hier sind, und für alle, die nach uns auf die Welt kommen werden.

»Wir sind nur dieses eine Mal auf der Welt«, hat mein Vater geschrieben. Er hat mehrmals geschrieben, dass wir nur für einen kurzen Moment hier sind. Ich weiß nicht so recht, ob ich das ebenso erlebe wie er. Ich bin seit fünfzehn Jahren hier und diese Jahre erscheinen mir wirklich nicht als »kurzer Moment«.

Aber ich glaube, ich weiß, was mein Vater gemeint hat. Das Leben ist kurz für alle, die wirklich begreifen können, dass die Welt eines Tages definitiv ein Ende nimmt. Aber nicht alle können erfassen, was es wirklich heißt, irgendwann für alle

Ewigkeit fort zu sein. Es gibt so viel, was diese Erkenntnis erschwert, Stunde für Stunde, Minute für Minute.

»Stell dir vor, du stündest irgendwann, vor vielen Jahrmilliarden, als das alles erschaffen wurde, auf der Schwelle zu diesem Märchen«, *hatte mein Vater geschrieben.* »Und du hättest die Wahl, ob du irgendwann einmal zu einem Leben auf diesem Planeten geboren werden wolltest. Du wüsstest nicht, wann du leben würdest, und du wüsstest nicht, wie lange du hier bleiben könntest, doch es wäre jedenfalls nur die Rede von wenigen Jahren. Du wüsstest nur, wenn du dich dafür entscheiden würdest, irgendwann auf die Welt zu kommen, dass du, wenn die Zeit reif wäre, wie wir sagen, oder ›wenn die Zeit sich rundet‹, sie und alles darauf auch wieder verlassen müsstest.«

Ich kann mich noch immer nicht entscheiden. Aber inzwischen stimme ich meinem Vater mehr und mehr zu. Vielleicht hätte auch ich dieses Angebot dankend abgelehnt. Der kleine Moment, den ich hier auf der Welt verbringen kann, wird zu winzig im Vergleich zu einer ganzen Ewigkeit an Zeit vorher und nachher.

Wenn ich wüsste, dass etwas wahnsinnig gut schmeckt, hätte ich die Kostprobe trotzdem dankend abgelehnt, wenn der Bissen, den ich würde verzehren dürfen, nicht mehr als ein Milligramm gewogen hätte.

Ich habe von meinem Vater eine tiefe Trauer geerbt, eine Trauer darüber, dass ich diese Welt irgendwann verlassen muss. Ich habe gelernt, an »Abende wie diesen« *zu denken,* »die ich nicht mehr leben darf«. *Aber ich habe auch einen Blick dafür geerbt, wie wunderbar das Leben ist. Im Sommer werde ich einige richtige Hummelstudien vornehmen. (Ich habe eine Stoppuhr. Es sollte möglich sein, genau zu messen, wie schnell eine Hummel fliegt. Und die Hummel muss gewogen werden.) Ich hätte auch nichts gegen eine Safari in der afrikanischen Savanne. Außerdem habe ich gelernt, zum Himmel hochzuschauen und über alles zu staunen, was sich viele Milliarden Lichtjahre entfernt draußen im Weltraum befindet. Das habe ich gelernt, als ich noch keine vier Jahre alt war.*

Aber ich schaffe es nicht, dort draußen zu beginnen. Ich muss an einem anderen Ende anfangen. Vielleicht muss ich diese Entscheidung auf meine eigene Weise treffen.

Wenn die Geschichte des Orangenmädchens ein Spielfilm wäre und ich weit hinten im Saal säße und wüsste, dass ich nicht zu einem Leben auf diesem Planeten geboren worden wäre, wenn Jan Olav und das Orangenmädchen nicht zueinander gefunden hätten – dann würde ich sie anfeuern und hoffen, dass sie nicht einfach aneinander vorbeigehen würden. Mein Herz würde schlagen wie ein Hammer. Ich hätte Angst, sie oder er könnten so fanatisch atheistisch sein, dass sie es niemals über sich bringen würden, einen Weihnachtsgottesdienst zu besuchen. Ich würde vielleicht bitterlich weinen, wenn das Orangenmädchen auf der Plaza de la Alianza plötzlich mit einem Dänen auftauchte. Und wenn Veronika und Jan Olav endlich zusammenkämen, würde ich mich schon vor der kleinsten sich ankündigenden Meinungsverschiedenheit fürchten. Denn was mich betraf, so könnte ein echter Streit doch rasch kosmische Dimensionen annehmen.

Die Welt! Die würde ich dann niemals erreichen. Ich würde niemals das große Geheimnis erleben.

Der Weltraum! Ich würde niemals zu einem funkelnden Sternenhimmel hochschauen!

Die Sonne! Ich würde niemals meine Füße auf die warmen Inselchen vor Tønsberg setzen. Ich würde niemals kopfüber ins Wasser springen!

Jetzt begreife ich das alles. Plötzlich begreife ich die ganze Reichweite. Erst jetzt verstehe ich mit Leib und Seele, was es bedeutet, nicht zu sein. Mein Magen krampft sich zusammen. Mir wird schlecht. Aber ich bin auch zornig.

Ich werde wütend, wenn ich daran denke, dass ich eines Tages verschwinden werde – und dann wegbleiben werde, nicht für eine Woche oder zwei, nicht für vier und nicht für vierhundert Jahre, sondern in alle Ewigkeit.

Ich habe das Gefühl, Jux und Narrenstreichen zum Opfer gefallen zu sein, denn zuerst kommt jemand und sagt: Bitte sehr, hier hast du eine ganze Welt, auf der du dich tummeln kannst. Hier ist deine Klapper, hier ist deine Eisenbahn, hier ist die Schule, in der du im Herbst anfangen wirst. Um dann loszuprusten: April, April, reingefallen! Und dann wird mir die ganze Welt wieder aus der Hand gerissen.

Ich komme mir vor wie von allem im Stich gelassen. Nirgendwo kann ich mich festhalten. Nichts kann mich retten.

Ich verliere nicht nur die Welt, ich verliere nicht nur alles und alle, die ich liebe. Ich verliere mich selbst.

Schwupp – schon bin ich verschwunden.

Ich bin wütend. Ich bin so wütend, dass ich mich wahrscheinlich gleich übergeben muss. Denn ich habe dem Teufel ins Auge geschaut. Aber ich will diesem Teufel nicht das letzte Wort überlassen. Ich wende mich von dem Bösen ab, ehe er Macht über mich gewinnt. Ich entscheide mich für das Leben. Ich entscheide mich für den kleinen Zipfel des Guten, der mir vergönnt ist, und vielleicht gibt es auch etwas, das wir den Guten *oder die* Gute *nennen können. Wer weiß, ob nicht über allem zusammen auch ein Gott thront.*

Ich weiß, dass es ein Böses gibt, denn ich habe den dritten Satz von Beethovens Mondscheinsonate gehört. Aber ich weiß auch, dass es ein Gutes gibt. Ich weiß, dass zwischen zwei Abgründen eine schöne Blume wächst und dass aus dieser Blume bald eine lebensfrohe Hummel auffliegen wird.

Ha! Jetzt habe ich es gesehen. Glücklicherweise gibt es in dieser Gleichung auch ein fröhliches Allegretto. Zwischen den beiden Tragödien kommt das witzige Puppentheater und diese Vorstellung will ich mir nicht entgehen lassen. Ich bin bereit, alles auf den zweiten Satz zu setzen! Es gibt etwas, das Lebenshunger heißt, und diese beiden Abgründe muss ich ja trotz allem nicht erleben. Es gibt sie nicht, sie existieren nicht, nicht für mich. Das Einzige, was es gibt, ist ein kühnes Allegretto.

Ich finde, dass ich jetzt sehr kluge Gedanken denke, das muss ich zugeben. Franz Liszt hatte den zweiten Satz der Mondscheinsonate als »eine Blume zwischen zwei Abgründen« bezeichnet. In diesem Moment geht mir auf, dass ich das ganze große Dilemma mit Liszt und Tücke gelöst habe.

Und dann versuche ich noch einmal einige Jahrmilliarden in der Zeit zurückzugehen. Denn jetzt muss ich entscheiden,

*ob ich in einigen hundert Jahrmillionen auf der Erde leben will,
oder ob ich darauf verzichte, weil mir die Regeln nicht passen.
Aber jetzt weiß ich immerhin, wer meine Eltern sein werden.
Jetzt weiß ich, wie diese Geschichte angefangen hat. Ich weiß
etwas darüber, wen ich lieben werde.*

*Jetzt kommt die Antwort. Jetzt kommt die feierliche Ent-
scheidung. Ich schreibe:*

Lieber Papa! Danke für deinen Brief. Er war wie ein Schock für
mich und hat mir Freude gemacht und mich auch gequält. Aber
jetzt habe ich endlich diese schwere Entscheidung getroffen:
Ich bin mir ganz sicher, dass ich mich für ein Leben auf der
Erde entscheiden würde, und sei es auch nur für einen »kurzen Moment«. Und deshalb kannst du diese Sorge endlich vergessen. Du kannst »in Frieden ruhen«, wie es heißt. Danke,
dass du dich auf die Jagd nach dem Orangenmädchen gemacht
hast.

Mama steht in der Küche und macht das Abendessen. Sie
hat etwas Französisches angekündigt. Jørgen wird bald von
dem zurückkehren, was er seine »Samstagsjoggerei« nennt,
und Miriam schläft. Es ist der 17. November, noch fünf
Wochen bis Weihnachten.

Du hast mir einige interessante Fragen nach dem Hubble-
Teleskop gestellt, und die Wahrheit ist: Ich habe kürzlich erst
eine lange Hausarbeit über dieses Teleskop geschrieben!!!

Und jetzt will ich dir ein großes Geheimnis anvertrauen:
Ich glaube, ich weiß, was ich zu Weihnachten bekomme! Jørgen hat einige Andeutungen gemacht, er hat mir jedenfalls in

einer Zeitung ein paar tolle Bilder gezeigt, und kurz gesagt, ich habe den leisen Verdacht, dass ich ein Teleskop bekommen werde. Das ist eigentlich unglaublich, aber auch Jørgen hat meine Hausarbeit gelesen, zweimal sogar, obwohl er gar nicht mein echter Vater ist. Er hat gesagt, er sei stolz auf mich. Ich glaube, ich bin ihm ebenso wichtig wie Miriam, oder auf jeden Fall fast so wichtig wie sie, und ich finde ehrlich gesagt, dass ich nicht mehr verlangen kann. Ich mag diesen Mann fast ebenso sehr, als ob er mein richtiger Vater wäre.

Wenn ich zu Weihnachten ein Teleskop bekomme, nehme ich es mit nach Fjellstølen, denn bei uns hier unten im Flachland gibt es viel zu viel davon, was die Astronomen als »optische Verunreinigung« bezeichnen. Ich weiß auch schon, wie ich das Teleskop nennen werde. Es soll JAN-OLAV-Teleskop heißen. Für Jørgen wird das sicher ein wenig seltsam sein, aber wenn wir weiter gute Freunde sein wollen, dann muss er sich damit abfinden. Es gibt viele Dinge, die ein wenig seltsam sind!

Wenn der Mond nicht scheint, ist der Himmel über Fjellstølen so dicht mit Sternen übersät, dass man sich durchaus fragen kann, warum das Weltraumteleskop so schrecklich wichtig war. Sicher, sicher, Papa, ich bin wirklich nicht so blöd, wie du vielleicht glaubst. Ich weiß, dass die Sterne im All nicht funkeln. Aber ab und zu kann es doch spannend sein, einige Sekunden unten in einem Schwimmbecken zu liegen und zum Beckenrand hochzuschauen. Etwas sieht man doch immer, und natürlich kann man versuchen zu erraten, was sich über der Wasseroberfläche bewegt. Es müsste auf jeden Fall möglich sein, sich einen brauchbaren Eindruck von den Mondkratern, den Monden des Jupiter und den Ringen des Saturn zu verschaffen. Und dann werde ich ja sehen, ob ich später in meinem Leben auch noch auf eine richtige Raumfähre gelangen kann.

Herzliche Grüße von Georg, der noch immer im Humleivei wohnt und weiß, dass er von einem ziemlich tollen Typen abstammt.

PS. Nachdem ich deinen langen Brief gelesen habe, werde ich mich wohl bald trauen, mit dem Geigenmädchen zu sprechen. Vielleicht mache ich das schon am Montag. Jetzt habe ich doch immerhin ein fantastisches Gesprächsthema. Und vielleicht zeigt sie mir dann ihre Geige.

Ich rufe Mama. Jetzt kommt sie. Während ich diesen Satz schreibe, reiche ich ihr den Brief meines Vaters. Sie bekommt den alten Ausdruck.

»Jetzt kannst du den Brief meines Vaters lesen«, sage ich.

Das Buch, das ich mit ihm zusammen geschrieben habe, kann sie vielleicht ein andermal lesen. Auf keinen Fall aber vor Weihnachten. Und auch nur dann, wenn ich wirklich ein Teleskop bekomme, denn jetzt habe ich das JAN-OLAV-Teleskop doch schon in diese Erzählung eingebaut.

Ich habe ein wenig Angst davor, dass irgendwer liest, was ich über das Geigenmädchen geschrieben habe. Aber nur ein wenig. Ich zittere ein bisschen bei dem Gedanken, dass Mama und Jørgen über ihr Geknutsche im Schlafzimmer lesen. Aber nur ein wenig.

Mama hat sich mit dem Brief meines Vaters auf das gelbe Le-
dersofa im Wohnzimmer gesetzt. Sie hat gesagt, sie will heim-
lich ein wenig schmökern, ehe Jørgen von seiner Samstagsjog-
gerei kommt. Ich habe versprochen, in der Nähe zu bleiben,
und ich kann sie durch die offene Tür gerade noch sehen. Ab
und zu kann ich sie auch hören, ich glaube, sie schnieft. Das
nehme ich als Zeichen dafür, dass sie Jan Olav nicht ganz ver-
gessen hat.

Aber ich schreibe noch immer. Ich habe nämlich noch ein so
genanntes PS, und zwar für alle, die dieses Buch gelesen ha-
ben. Es ist nur ein guter Rat:

Fragt eure Eltern, wie sie einander kennen gelernt haben.
Vielleicht können sie eine spannende Geschichte erzählen.
Fragt gleich beide, denn es ist nicht sicher, ob sie genau dieselbe
Geschichte erzählen.

Und seid nicht überrascht, wenn sie plötzlich verlegen
sind, ich glaube, das ist ganz normal. Diese Märchen, über
die wir gesprochen haben, sind nie ganz gleich, aber ich sehe
jetzt langsam ein, dass jedes Märchen mehr oder weniger
empfindliche Regeln hat, die es schwer machen können,
darüber zu reden. Vielleicht solltet ihr versuchen, um diese
Regeln einen Bogen zu machen. Es ist nicht immer leicht, sie
in Worte zu fassen, und es gibt etwas, das wir »Taktgefühl«
nennen.

Je ausführlicher so eine Geschichte ist, um so nervenaufrei-
bender kann es wohl sein, sie sich anzuhören, denn wenn nur
ein kleines Detail anders gewesen wäre als das, was am Ende
passiert ist, dann wärt ihr niemals geboren worden. Ich möch-
te wetten, dass es viele tausend kleine Kleinigkeiten gibt, die

alles so sehr verändern würden, dass ihr rein gar keine Chance hättet.

Oder, um meinen klugen Vater zu zitieren: Das Leben ist eine gigantische Lotterie, bei der nur die Gewinnerlose sichtbar sind.

Du, der du dieses Buch liest, bist so ein Gewinnerlos. Lucky you!

Jostein Gaarder im dtv

»Geboren zu werden bedeutet, daß wir die ganze
Welt geschenkt bekommen.«
Jostein Gaarder

Sofies Welt
Roman über die Geschichte
der Philosophie
Übers. v. Gabriele Haefs
ISBN 3-423-12555-1

Ein Abenteuerroman des Den-
kens und eine Geschichte der
Philosophie von den Anfängen
bis zur Gegenwart.
Der Roman, mit dem Gaarder
Weltruhm erlangte.

Das Kartengeheimnis
Übers. v. Gabriele Haefs
ISBN 3-423-12500-4 und
ISBN 3-423-20789-2

Die Geschichte einer Reise nach
Griechenland, einer phantasti-
schen auf eine magische Insel
und einer gedanklichen in die
Philosophie.

Das Leben ist kurz
Vita brevis
Übers. v. Gabriele Haefs
ISBN 3-423-12711-2

Eine unmögliche Liebe: zwischen Floria und dem berühmten Kirchenvater Augustinus.

Der seltene Vogel
Erzählungen
Übers. v. Gabriele Haefs
ISBN 3-423-12876-3

**Durch einen Spiegel, in
einem dunklen Wort**
Übers. v. Gabriele Haefs
ISBN 3-423-12917-4

Cecilie ist sehr krank. Plötzlich sitzt Engel Ariel auf der
Fensterbank.

**Maya oder Das Wunder
des Lebens**
Roman
Übers. v. Gabriele Haefs
ISBN 3-423-13002-4

Ein Roman über die Evolution,
über die Grenzen der Wissen-
schaft und über die Kraft der
Fantasie.

Der Geschichtenverkäufer
Roman
Übers. v. Gabriele Haefs
ISBN 3-423-13250-7

»Jostein Gaarder hat mit diesem Roman ein Meisterwerk
geschaffen.« (Tagesspiegel)

Das Orangenmädchen
Roman
Übers. v. Gabriele Haefs
ISBN 3-423-13396-1

»Einer der schönsten
Abschiedsbriefe, die Sie sich
vorstellen können.« (Brigitte)